LE CAHIER VOLÉ

Régine Deforges est née dans le Poitou. D'abord libraire puis éditeur, elle publie notamment des textes érotiques ; dans une France qui n'a pas encore accompli sa « révolution sexuelle », ces ouvrages lui vaudront de nombreux déboires. En 1981, elle connaît son plus grand succès de librairie avec la parution de *La Bicyclette bleue* ; le roman obtient le prix des Maisons de la Presse. Régine Deforges a donné près de quatre-vingts livres de genres extrêmement variés : des romans, des nouvelles, des essais, des entretiens, des chroniques, ainsi que quelques scénarios, chansons ou dessins.

RÉGINE DEFORGES

Le Cahier volé

Petite chronique des années 50

ROMAN

FAYARD

© Librairie Arthème Fayard, 1978.

ISBN : 978-2-253-02418-7 – 1re publication LGF

Malheur à l'homme par qui le scandale arrive.

MATTHIEU, 18,7.

A mes parents,
à M...,
au temps qui passe.

« TU verras cet été-là ne sera pas comme les autres. »

Qui disait cela tout à l'heure à la récréation ? La grosse Marie-Josèphe ou la petite Marie-Thé, les deux inséparables ? J'ai souri, car les étés dans ce coin du Poitou, quand on a quinze ans, se ressemblent tous : baignades, pique-niques, bals dans les assemblées sous le regard des parents ou des sœurs aînées, travaux des champs pour celles qui vivent à la campagne, le cinéma une fois par semaine où les films les plus récents ont cinq ou six ans, même chose pour le programme d'actualités, ce qui provoque immanquablement les rires de la salle, qui découvre ainsi les incohérences de ceux qui nous gouvernent et la relativité des choses humaines, plus deux ou trois visites à la ville la plus proche, Poitiers ou Limoges, et, pour les plus favorisées, un séjour à la mer ou à la montagne.

Sœur Saint-André n'en finit pas de s'embrouiller dans son cours de morale chrétienne, mélangeant sans vergogne saint Augustin et la « petite Thérèse de Lisieux », le quiétisme et le jansénisme. Et allez-y pour les considérations creuses, sur l'amour de Dieu, celui du prochain, sur la soumission à la volonté divine ! La pauvre, elle me fait peine ; si j'étais plus en forme, je lui parlerais de l'idée de Dieu et de ce qui en découle. A quoi bon, encore une fois, je serais mise à la porte du cours pour insolence. Je préfère continuer à rêvasser, enveloppée par un rayon de soleil qui m'alanguit.

La poussière danse et scintille dans mon rayon de soleil, elle semble obéir à une musique imperceptible à nos humaines oreilles. Une mouche à son tour s'est mise à voleter dans le rayon ; elle semble devenue folle, montant, descendant, dans la raie lumineuse, comme entraînée par un rythme infernal. Une autre la rejoint. Elles se livrent à un ballet aux figures compliquées.

« Mademoiselle Léone, si cela ne vous intéresse pas, je peux passer à autre chose ! »

Je sursaute à la voix sèche de notre professeur. Je dois avoir l'air terriblement ailleurs car toute la classe se met à rire.

« Silence, mesdemoiselles. Si Mlle Léone est réveillée et si elle le permet, je reprends.

« Dieu est amour, les épreuves qu'il nous envoie sont une preuve de sa sollicitude... accepter... se soumettre... divine providence... Prions, mes enfants. »

Ouf ! c'est fini ! Je soulève le dessus de mon bureau pour ranger livres et cahiers.

« Il y a Jean-Claude qui te cherche », me souffle Joëlle, ma voisine, la tête enfouie sous son pupitre.

Je rougis de honte et de plaisir mêlés. Cela fait plusieurs jours que je l'évite. Pour deux raisons : j'ai peur que Mélie apprenne que je le vois, qu'elle me fasse une scène et se mette à pleurer. J'ai horreur de lui faire de la peine et les scènes me mettent en colère. L'autre raison, peut-être la plus réelle, mais on m'arracherait la langue plutôt que de me le faire reconnaître, c'est que, quand Jean-Claude m'embrasse, j'ai envie d'être nue contre lui, d'être caressée et embrassée sur tout le corps. Il est tendre et maladroit, doux et brutal, timide et entreprenant. Il sait que je n'ai jamais fait l'amour avec un garçon, cela l'excite et lui fait peur. De plus, je lui ai dit que c'est de Mélie dont j'étais amoureuse et non de lui. Il n'a fait qu'en rire, disant que les amours de filles ce n'était pas sérieux, que je pouvais aimer Mélie tant que je le voudrais, du moment qu'il pouvait continuer à flirter avec moi.

« Imbécile, tu ne comprends pas ? Je l'A.I.M.E. »

Je l'ai haï pour son éclat de rire. Depuis, je ne l'ai pas revu.

Nous sortons dans la cour dans un brouhaha enfantin. L'approche des vacances rend les sœurs indulgentes. Elles frappent dans leurs mains, nous nous mettons en rang et sortons de l'école presque dignement.

Les rues de la petite ville s'animent d'un seul coup et deviennent, l'espace de quelques instants, l'univers des enfants et des adolescents. Les adultes ont disparu, comme niés par tant de jeunesse.

Joëlle s'accroche à moi, essayant d'avoir

des renseignements sur mes amours, qu'elle pourra commenter avec Maguy, sa meilleure amie. Elle m'agace, je n'aime pas les questions, surtout sur un tel sujet. Elle insiste, je vais la repousser brutalement quand elle m'arrête en me prenant le bras :

« Regarde, il est là sur le trottoir d'en face. Dis ! il est plutôt beau garçon ? »

C'est vrai qu'il n'est pas mal, mais ce n'est pas une raison pour que je réponde à son signe de venir le rejoindre, sous l'œil goguenard de mes petites camarades.

« Mais vas-y, vas-y donc », insiste Joëlle.

Je lui donne un violent coup de pied, ce qui la fait taire et sautiller sur place en se frottant le tibia.

« Tu es complètement folle ! Vos histoires, je m'en fous, c'était pour te rendre service. »

Me rendre service... Elle me prend vraiment pour une gourde. Depuis que je suis à l'institution Saint-M., depuis quatre ans, je n'ai aucune amie, du moins pas une à qui je donne ce nom ; j'ai des camarades avec lesquelles j'échange fous rires et bêtises, devoirs ou images, mais des confidences, jamais. Cela m'a manqué quelquefois, mais n'en trouvant aucune digne de mes secrets, j'ai préféré continuer à les confier à mes poupées, aux arbres, à l'eau qui coule, au vent qui passe, à Dieu même, plutôt qu'à quelqu'un en qui je n'aurais pas confiance.

Bien sûr, il y a Mélie. A elle, je pourrais sans doute tout dire ; m'aimant, elle me comprendrait, consolerait mes peines et rirait de mes joies. Cependant, je ne parviens pas à lui dire ce que je ressens, ce que je pense vraiment. Je me méfie, comme redoutant la trahison. Et pourtant je l'aime, ça, j'en suis sûre, c'est même la seule certitude que j'ai. Elle m'aime aussi, nous devrions nous abandonner l'une à l'autre totalement. Pourtant, je n'y arrive pas.

Jean-Claude marche sur le trottoir opposé en me regardant d'un air triste et songeur, pour un peu, il m'attendrirait.

Devant le marchand de journaux, Joëlle et ses compagnes me quittent. Je continue pour aller chez Mélie. Me voyant seule, Jean-Claude a traversé. J'accélère le pas mais il me rattrape.

« Pourquoi te sauves-tu ? Je m'ennuie de toi. Samedi, il y a un bal à Trimouille avec un bon orchestre, veux-tu venir avec moi ?

— Je ne peux pas, je vais danser au casino de La Roche-Posay. »

C'est un demi-mensonge. C'est le dimanche après-midi que nous y allons Mélie et moi avec ses parents. Pendant que ceux-ci jouent au baccara, nous dansons, mangeons des petits fours ou courons dans le parc comme des gamines que nous sommes. Il n'est pas rare que ce soit rouges, essoufflées, décoiffées, les robes tachées du vert de l'herbe où nous nous sommes roulées et quelquefois aimées, que les parents de Mélie nous retrouvent après nous avoir cherchées dans tout le casino que nous connaissons comme notre poche et dans les coins les plus reculés du parc.

Nous nous faisons gronder pour la forme. Au retour, nous nous endormons souvent l'une contre l'autre dans la grosse voiture qui nous berce.

« Laisse-moi, je te verrai ce soir après dîner, viens me chercher à la maison. »

Il s'en va en fredonnant, tout ragaillardi.

J'arrive en courant devant la maison de Mélie, elle bavarde avec un professeur qu'elle aime bien, Mme B... Je n'ose l'embrasser devant elle. Mme B... passe la main dans mes cheveux, les ébouriffant comme on fait à la tête d'un gros chien poilu, pour lui dire qu'on l'aime bien. J'ai toujours su que Mme B... m'aimait bien, mais ma timi-

dité, la sienne peut-être, nous ont empê-
chées de nous dire notre mutuelle atti-
rance.

« Quels beaux cheveux tu as, Léone. Comment se termine ton année scolaire ? »

Devant ma moue, elle éclate d'un rire
jeune et gai.

« C'est bien ce que je pensais. Mélie non
plus, ce n'est guère brillant. Si vous vous
voyiez moins, vous travailleriez sans doute
mieux. »

Nous baissons la tête en rougissant,
gênées, comme devant n'importe quel professeur. Elle a senti notre embarras et sa
maladresse.

« Je plaisantais, c'est important à votre
âge d'avoir une amie à aimer. Vous ferez
mieux l'année prochaine. »

Elle nous quitte en nous faisant un petit
signe de la main.

Je prends Mélie par l'épaule. Elle pousse
la barrière blanche et rouge du jardin, pose
son cartable sur les marches de la cuisine et
m'entraîne dans sa chambre. Là nous nous
étreignons de toutes nos forces, à nous faire
mal, c'est à laquelle serrera l'autre le plus
fort. C'est elle qui cède.

« Arrête, tu me fais mal. »

Je la lâche et nous roulons sur le lit en
riant aux éclats. Nous restons quelques ins-

tants sans bouger. Mélie prend appui sur son coude et me regarde, ses minces yeux bleus deviennent de plus en plus brillants, presque durs. Je connais ce regard. Sous lui, je respire plus vite, mes bras et mes jambes me font presque mal, ma bouche se dessèche, mon ventre se durcit. J'attire son visage à moi et je le lèche à petits coups, d'abord les yeux, le nez, la bouche, je lui mordille les oreilles, le creux si tendre du cou. Elle déboutonne mon chemisier, remonte mon soutien-gorge et me tète les seins, allant de l'un à l'autre, avec une dextérité qui me fait gémir.

Nous devons cependant nous séparer car la demie de midi sonne au clocher de Notre-Dame. Je vais encore être en retard pour le déjeuner, ce qui me vaudra, de la part de maman ou de grand-mère, des reproches que je juge excessifs.

Nous nous quittons sur un dernier baiser mouillé.

J'ai couru tellement vite que je suis arrivée au moment où la famille allait passer à table.

JEAN-CLAUDE est à l'heure au rendez-vous.

La soirée est si douce que je néglige de prendre un gilet comme me le conseille maman.

« Ne rentre pas trop tard », me dit-elle, avec un regard que je trouve complice, donc déplacé de sa part.

« Si nous allions dans les petits chemins, près de l'étang du père Néchaud ? »

Je hausse les épaules, cela m'est bien égal. Tout ce que je lui demande c'est de ne pas trop parler, de ne pas troubler le silence de la nuit qui vient, d'être attentif aux odeurs qui montent de la terre, au vol aigu des hirondelles et à celui soyeux et agaçant des premières chauves-souris. Il fait encore très clair, mais tout autour de nous s'apprête au sommeil et pour quelques-uns, les nocturnes, les nuiteux, les amoureux de l'ombre, ce sont les préparatifs d'un sabbat auquel nous sommes conviés mais où peu d'entre nous iront, faute d'imagination.

La nuit campagnarde demande à l'homme de s'intégrer totalement dans son mouvement qui est lent et profond, de respirer au rythme de la terre, de percevoir aux frémissements des feuilles des peupliers les murmures changeants du vent, de reconnaître le cri de l'engoulevent et celui de la chouette, le cri de peur et de mort du mulot enlevé par le hibou. Cette nuit n'est que soupirs, murmures, feulements, frôlements, petits cris d'effroi ou de plaisir, lourds battements d'ailes des oiseaux de nuit, de temps à autre, l'aboiement lointain d'un chien dérangé dans son sommeil. La nuit, dans la campagne, une vie étouffant ses bruits comme pour ne pas être dérangée prend possession de la nature jusqu'au petit matin où elle laissera la place à une autre vie, plus bruyante, plus affirmée, plus vulgaire, saluée par le chant du coq, imbécile et triomphant.

L'odeur entêtante du chèvrefeuille me donne un début de migraine. Nous marchons lentement, main dans la main. Il parle peu, je le sens ému, comme à l'approche de quelque chose de grave ou d'important. Sa timidité me gagne, car je sais à quoi il pense. Il m'entraîne à l'écart du chemin. Je sens à l'odeur de vase et de menthe que nous sommes près de l'étang. Il s'assied sur la mousse et m'attire auprès de lui. Je m'allonge, savourant l'élasticité de notre couche. Les arbres forment un ciel de lit mouvant et murmurant. Quel bien-être ! Ne plus bouger, attendre là la fin des temps, se laisser emporter par le murmure de l'eau et du vent qui se lève.

Je sens le souffle chaud de Jean-Claude sur mon visage, ses lèvres cherchent les miennes, sa langue se faufile entre mes dents. Je tente de le repousser, mais un long frisson de plaisir me rejette contre lui, je lui rends son baiser avec fougue et maladresse, j'ai envie de le mordre. Il se dégage en riant.

« Tu me fais mal, grande brute. Tu mérites bien ton surnom. »

Je me frotte contre lui comme un petit animal en chaleur. Je sens contre mon ventre son sexe durci. J'ai une envie folle de le toucher, de le prendre dans mes mains, mais je n'ose pas. Sa main se faufile sous ma robe, écarte l'élastique de ma culotte de coton blanc. Quand ses doigts atteignent la fente humide, je pousse un petit cri. Il s'arrête, craignant de m'avoir fait mal. Je secoue la tête en tendant mon ventre vers lui. Ses doigts deviennent de plus en plus habiles, ils m'arrachent des gémissements de bonheur. Il me mordille les seins, de plus en plus fort, il me fait mal, mais j'aime cette douleur qui envoie dans mon ventre une onde de plaisir. Très vite, il me fait jouir.

Je reste pantelante, collée à lui. Son sexe a perdu sa dureté, il me regarde avec dans le regard comme un brouillard.

« C'est malin », dit-il en glissant son mouchoir dans son pantalon.

Nous restons un long moment à respirer la nuit et à sentir nos corps détendus et heureux. Peu à peu, cependant, la fraîcheur de la terre nous envahit et c'est en frissonnant que nous nous relevons. Je regrette de n'avoir pas écouté maman et emporté mon gilet. Nous rentrons en marchant vite pour nous réchauffer.

« Je t'aime », me dit-il devant ma porte. Je lui envoie un baiser du bout des doigts.

Je monte directement dans ma chambre. Je fais une toilette sommaire, à moitié endormie. J'ai à peine atteint le fond de mon lit que je dors déjà.

FINIE la peur au ventre pour les leçons non apprises, pour les devoirs bâclés. Finies les voix aigres des bonnes sœurs, les colles, les punitions, les camarades de classe, sentant l'école et la petite fille mal lavée ! Finis le froid des petits matins, la somnolence des débuts d'après-midi, le mal de dos causé par l'ennui, les doigts tachés d'encre, les crayons mordillés, les gommes perdues. Finies les récréations moroses, les prières sans croyance : c'est les vacances, les grandes vacances !

Ce soir, c'est fête. Il y a la retraite aux flambeaux à travers toute la ville et ensuite bal sur la place de la mairie. Mélie, Jean-Pierre, Michel, Francis et moi, nous nous faisons une joie de participer à cette veillée révolutionnaire, car demain, la fête continue : feu d'artifice et bal place du Champ-de-Foire. Il faut profiter de toutes les occasions de se distraire, elles ne sont pas si fréquentes.

Dès la nuit tombée, derrière la fanfare, nous parcourons les rues de la ville haute à la ville basse. Il y a beaucoup de monde, les enfants portent des lampions multicolores, ceux qui n'en ont pas gambadent autour de la fanfare en frappant dans leurs mains. Mélie et moi nous nous tenons par la taille. Jean-Claude nous a rejoints avec un garçon que je ne connais pas et pour lequel j'éprouve immédiatement une violente antipathie. C'est un vieux, il a au moins dix-neuf ans.

« Je vous présente Alain, il passe ses vacances ici. »

Son regard a une telle dureté quand il nous regarde Mélie et moi que machinalement je m'éloigne d'elle.

Nous passons devant le café du Commerce, j'entraîne Mélie hors du défilé.

« Je suis fatiguée, si nous allions boire une limonade ? »

Les autres nous ont suivies.

« C'est moi qui invite, dit Jean-Claude, que voulez-vous boire ? »

Chacun ayant parlé de ses projets de vacances, la conversation languit et s'arrête. La présence d'Alain nous met mal à l'aise.

On entend au loin comme un air d'accordéon.

« Si nous allions danser ? » s'écrient ensemble Jean-Claude et Francis.

Cette proposition me réveille et c'est en sautillant que je me dirige vers le bal.

Il n'y a pas encore beaucoup de monde. Francis invite Mélie à danser, pendant que Jean-Claude m'entraîne dans ce qu'il croit être un tango langoureux. Il me marche sur les pieds, et moi, le tango, je n'aime pas ça, j'ai toujours une jambe qui ne suit pas. Nous arrivons à un compromis, nous faisons un surplace prudent. Il tente de m'embrasser dans le cou, je surprends le regard douloureux de Mélie. Je le repousse.

« Tu n'étais pas comme ça l'autre soir, souviens-toi ? Si j'avais voulu... »

J'ai une forte envie de le gifler.

« L'autre soir, c'était l'autre soir, laisse-moi tranquille ou je m'en vais. »

Il se contente de me serrer plus fort contre lui avec un sourire fat. La danse se termine, les couples se séparent, je retrouve Mélie qui me regarde d'un air dur et inquisiteur. Je l'embrasse, ce qui semble la rassurer un peu.

« Allez, les filles, assez flirté, place aux hommes », dit Alain en m'enlaçant pour une valse. Je tente de m'échapper, furieuse de ce que je qualifie d'une « audace incroyable », d'une « goujaterie sans nom ». Il se contente de rire et de me serrer à me faire mal. J'aime la valse, et il danse bien. Malgré moi, mon corps se détend et je me laisse peu à peu emporter par le plaisir de la danse. Les couples se sont arrêtés pour nous regarder, un cercle s'est formé autour de nous. Nous tournoyons de plus en plus vite. J'ai l'impression que mes pieds ne touchent plus le sol. Je lève mon visage vers lui, un sourire mince et méchant découvre ses dents, il me fait penser à certains chiens qui vous regardent vicieusement en retroussant les babines, prêts à mordre. Je sens mon corps se raidir à nouveau. Lui aussi l'a senti, car sa main remonte à ma nuque, la prend et m'oblige à redresser la tête. Oh! ce geste. Je ne peux le supporter que de ceux que j'aime et qui m'aiment, car d'eux je ne crains rien, mais pas de ce garçon que je ne connais pas et qui me fait peur. Il tente de me soumettre, mais je résiste.

« Tu te débats inutilement. C'est la main des hommes que tu aimes et non celle des filles. Tout en toi appelle le mâle et tu le sais. Jean-Claude et tes petits copains sont trop bêtes et trop jeunes pour le comprendre. Tu es faite pour baiser comme d'autres sont faits pour être acrobates, parachutistes, mères de famille, bonnes sœurs ou curés, toi, tu es faite pour baiser comme une bonne petite pute que tu es. Tu sens comme je bande, petite salope ? »

Je me sens rougir, jamais personne ne m'a parlé comme ça. Mon cœur se met à battre très vite, la tête me tourne, j'ai peur, j'ai honte, je suis en colère et cependant mon corps se frotte contre la bosse dure. Son ricanement me ramène au réel.

« Petite garce, je ne m'étais pas trompé. »

Je m'arrache à lui au moment où la danse se termine et je me précipite rouge et les larmes aux yeux vers la petite bande. Ni Jean-Claude ni Mélie n'ont l'air content, mais ils ne disent rien.

« J'en ai marre, je veux rentrer. »

Ils tentent de me dissuader, puis, devant mon refus, me raccompagnent à la maison. Mélie a l'air malheureux quand je referme la porte.

Maman semble étonnée de me voir rentrer si tôt.

« Qu'as-tu ? Tu as l'air fatiguée. Tu as les yeux au milieu de la figure. La montagne te fera du bien. »

C'est vrai, j'avais oublié. Nous partons

dans deux jours pour les Pyrénées rejoindre papa qui fait une cure. Quelle barbe ! Ce que l'on peut s'ennuyer dans les stations thermales ! J'ai bien essayé d'y échapper cette année, mais rien à faire, ils prétendent que c'est bon pour ma santé.

J'ai du mal à m'endormir. Je repense aux paroles d'Alain, j'en martèle mon oreiller de rage. Je m'en veux d'avoir été aussi transparente. C'est vrai que j'ai envie de faire l'amour avec un homme. Je ne sais pas très bien au juste comment ça se passe malgré ma curiosité et la lecture de Colette ou de Vernon Sullivan. Tout ce que je sais, c'est qu'un sexe d'homme rentrera dans le mien et que j'en ai terriblement envie. De cela je ne peux pas parler à Mélie qui y verrait une trahison. Mais je sens tellement que le plaisir que je prends à être caressée par elle est incomplet par rapport à ce que je me promets des caresses et du sexe d'un homme. Mais je n'ai pas envie que ce soit un gamin de mon âge, ni même un peu plus vieux. Je veux être sûre d'avoir affaire à un homme qui saura exactement me conduire là où je veux aller.

CES vacances à Cauterets m'ont semblé interminables. Décidément, je n'aime pas la montagne, je me sens prisonnière de ces masses sombres, les précipices m'angoissent, les torrents sont glacés, les nuits froides, les montagnards silencieux, bref je n'aime pas la montagne.

Nous nous sommes écrit presque tous les jours Mélie et moi, j'ai reçu également deux ou trois lettres de Jean-Claude auxquelles je n'ai répondu que par une carte postale avec « bon souvenir de Cauterets ». J'ai hâte de rentrer, de retrouver mon grenier, mes livres, la campagne poitevine si pleine de charme en été, la Gartempe dont l'eau n'est jamais vraiment froide, mon bateau, l'odeur des moissons, les surprises-parties et surtout Mélie. Comme elle m'a manqué durant ces trois semaines ! Que de lettres passionnées nous avons échangées ! Mais c'est surtout dans mon cahier que je lui parle comme je n'ose jamais le faire.

Ce cahier, c'est mon véritable compagnon ; je lui déverse peines, colères ou joies. Je tiens mon Journal depuis l'âge de onze ans. Personne ne le sait, pas même Mélie. Je le cache habituellement derrière un des tableaux de la salle à manger. Quand un cahier est terminé, je le mets avec les autres dans une boîte fermée à clef. Je mets la clef dans un des vases de l'endroit qui m'est réservé au grenier et dans lequel il y a un bouquet de fleurs sèches. Avec toutes ces précautions, je suis bien tranquille, mes cahiers sont à l'abri des regards indiscrets. Cela vaut mieux car je mourrais de honte si quelqu'un les lisait. Quelquefois, redoutant cette improbable éventualité, je m'interdis de raconter telle ou telle chose que je pense trop intime. Mais il m'arrive parfois, à quelques jours ou mois de distance, de raconter l'événement. C'est ce qui s'est passé pour mon amour pour Mélie. Durant des semaines et des semaines, tout en continuant à écrire, je n'en ai pas parlé. Par une crainte confuse de mal faire, de commettre un péché et, peut-être, surtout, par la difficulté de dire mon émerveillement devant cette découverte extraordinaire, le plaisir donné par l'autre. Je me suis tellement ennuyée à Cauterets, que j'ai tenté pour passer le temps de revivre par écrit le bonheur de nous aimer tant du cœur que du corps. Cette évocation devait être très précise car à maintes reprises, bouleversée par les souvenirs, j'ai interrompu ma page d'écriture pour me caresser. Et c'est le cœur battant, les joues rouges mais le corps apaisé, que je reprenais mon stylo.

Il fait un temps extraordinaire, nous allons nous baigner presque tous les jours. Notre petite bande s'est augmentée d'amis parisiens avec lesquels nous vivons dans un état de fête, de rires, de danses, de petites disputes parfois, mais c'est rare, du matin jusqu'à la nuit tombée. Les rues endormies de la petite ville retentissent de nos chants et de nos cris quand nous passons, occupant toute la largeur de la voie, juchés sur nos vélos.

J'ai réussi à éviter Jean-Claude et Alain, d'ailleurs, ils appartiennent à une autre bande de garçons et de filles un peu plus âgés que nous.

C'est un bel été, je voudrais qu'il ne se termine jamais, que la vie passe ainsi doucement entre les bras de Mélie et les jeux de notre âge.

Nous avons quinze ans toutes les deux, nous sommes belles et nous nous aimons.

C'est vrai, cet été-là n'est pas comme les autres, c'est l'été du bonheur.

« QU'EST-CE que tu as encore fait ? » crie ma mère en entrant brusquement dans la sombre salle à manger.

Je referme le cahier dans lequel j'écris et la regarde sans comprendre.

« Qu'est-ce que tu as encore fait pour que les gendarmes viennent nous convoquer ton père et moi ? »

Je ne comprends toujours pas : personne ne m'a surprise en train de voler les pêches vertes du père Blanchard ? ou d'escalader le mur du jardin de la mère Arthaud pour chaparder les dernières groseilles ? ou de me faufiler dans la cave de mon oncle Chauvet pour lui piquer quelques bouteilles pour la surprise-partie ? Alors, pourquoi les gendarmes ?

Je secoue la tête sans comprendre, mais mon cœur s'est mis à battre très vite et j'ai senti mes jambes devenir molles.

« Qu'avez-vous fait Mélie et toi ? »

Mélie !.... mon cœur bat de plus en plus fort, je serre la table de mes mains devenues moites, la tête me tourne, je dois être très pâle. Elle me dit d'une voix radoucie.

« Qu'avez-vous fait ? »

Je ne vois pas, je n'ai rien fait, Mélie non plus.

« Allons, ma chérie, dis-le-moi. »

Je n'ai rien à dire, cette fois, je ne mens pas. Je me lève en criant :

« Je n'ai rien fait, j'en ai marre d'être toujours accusée pour rien ! »

La paire de claques qu'elle me donne est une des plus belles que j'aie reçues. Je la hais.

« Tu vas voir, quand ton père sera là. »

C'est toujours comme ça que ça se termine, quelle que soit l'importance de la faute, le recours à l'autorité d'un père qui n'en a guère et qui s'en fout.

Je sors en la bousculant et je me précipite dans la rue.

Qu'il fait beau !

« Où vas-tu ? Reviens, tu m'entends, reviens !... »

Je cours. Je n'ai jamais couru si vite :

« Mélie, ma petite Mélie, que t'ont-ils fait ces salauds ? J'ai peur, oh ! que j'ai peur ! »

Les passants étonnés par ma course s'arrêtent pour me regarder, deux gamins tentent de m'empêcher de passer, je les écarte brutalement.

« Hé ! la tigresse, où cours-tu si vite ? »

Je dévale la Grand-Rue. Mélie, Mélie... J'aperçois la petite rue, la maison, la barrière. Je donne un méchant coup de pied à Samy le grand chien si doux que j'aime, le seul dont je n'ai pas peur.

« Mélie... Mé...lie... Mélie... »

Françoise, la sœur aînée de Mélie, sort dans le jardin :

« Mélie n'est pas là, elle est partie quand les gendarmes sont venus. Qu'avez-vous fait ? Papa est à la gendarmerie, Maman pleure. Qu'avez-vous fait ?

— Mais je n'ai rien fait, Françoise. Je t'en prie, crois-moi, je ne comprends pas. Et Mélie, qu'est-ce qu'elle dit ?

— Elle dit comme toi, qu'elle n'a rien fait, qu'elle ne comprend pas. »

Elle me rattrape par le bras au moment où je vais tomber, elle m'assied sur les marches et va me chercher un verre d'eau. Ma tête bourdonne, j'ai mal au cœur. Je ne peux pas avaler une goutte. Je tremble, mes dents claquent. Mais qu'est-ce que j'ai bien pu faire ?

« Je vais chercher Mélie ! »

Je repars en courant. Au Caveau, personne, au Commerce, non plus. Où sont les copains ? où est Mélie ?

Des gens ricanent. C'est vrai que je dois avoir une drôle d'allure avec mon short blanc trop court, mon chemisier bleu noué sur le ventre, mes cheveux roux en désordre, mes longues jambes bronzées, égratignées, pleines de bleus, mes pieds nus et mes sandales à la main.

Je vais chez Jeanine, Gérard, François, Bernard : personne ! Je titube de fatigue, j'ai l'impression que ça fait des heures que je cours à travers la ville. J'ai mal aux pieds et au genou que je me suis abîmé en tombant tout à l'heure. Mon cœur s'arrête de battre ; ils sont là, assis sur les marches de la maison de Marcelle. Je me laisse tomber auprès d'eux, épuisée. Je redresse la tête, surprise de leur silence. Ils me regardent froidement. Je les regarde, étonnée. Mélie éclate en sanglots :

« Qu'est-ce que tu as encore fait ? »

Ah ! non, c'est trop fort ! c'est une histoire de fous ! Je me lève en hurlant :

« Merde, merde, merde... Je ne comprends pas, je n'ai rien fait.

— Tu te moques de nous, dit Jeanine, si tu n'avais rien fait les gendarmes ne seraient pas venus. »

Je m'éloigne de quelques pas, découragée, je sens que quoi que je dise, ils ne me croiront pas, et qu'ils vont me faire payer l'amour que Mélie a pour moi. Qu'ils vont me faire payer : les garçons de n'avoir pas voulu flirter avec eux, les filles d'être la plus jolie de notre petite bande. Je ne sais pas ce qui se passe, mais je sens que je ne pourrai pas compter sur eux. Ils ont trop peur de leurs parents, des habitants de la petite ville, alors, les gendarmes par-dessus le marché !...

« Arrête de sourire comme ça. »

Ah ! bon. Je souriais ? Je souris toujours quand on me fait des reproches, quand on m'injurie, quand on me bat. Cela met les bonnes sœurs dans des colères noires.

« Sortez, mademoiselle ! Vous êtes une insolente, un mauvais cœur. Dieu vous punira. »

Dieu ! si elles savaient ! Dieu je l'aime et il m'aime. Je lui parle. C'est mon seul confident.

Je m'approche de Mélie et je l'embrasse tendrement :

« N'aie pas peur, mon chéri.

— Ça suffit, vos embrassades, ce n'est pas le moment. Vous feriez mieux de rentrer chez vous pour savoir ce qui s'est passé. »

Marcelle a raison. Mélie se remet à pleurer.

Nous avons l'air, les quatre filles et les trois garçons, assis sur les marches, de gamins abandonnés.

Il est bientôt une heure, les rues de la petite ville se sont vidées. Il faut rentrer chez nos parents où nous aurons droit à leurs réflexions découragées, sur la jeunesse, le savoir-vivre qui se perd et nos mauvaises fréquentations :

« Encore à traîner avec tes voyous ! »

Mélie est venue à vélo. Elle repart, se dépêchant pour ne pas faire de peine à son père qu'elle adore.

Je marche lentement dans la chaleur de ce bel été, je me penche sur le parapet du pont de la jolie rivière. Que l'eau doit être tiède ! Comme il serait doux de s'y glisser et de la laisser m'emporter loin, vers le fleuve puis vers la mer. De lourdes larmes coulent sur mes joues, je m'égratigne les poings tant je martèle fort le parapet. Mourir ! oh ! mourir ! je voudrais tant mourir !

Une heure sonne à Notre-Dame. Je vais encore me faire attraper.

Ils sont tous à table : ma grand-mère, digne et sévère, ma mère, triste et pincée, Lucas, mon petit frère, et Catherine, ma sœur.

Je m'assieds en tremblant. Je refuse les hors-d'œuvre, j'avale difficilement un peu de fromage blanc.

« Mange donc, tu vas être malade », dit ma mère.

Personne ne parle. Je déteste les repas familiaux, c'est toujours la même tension, la même impossibilité de parler. J'aimerais tellement pouvoir dire à ma mère combien j'ai peur, combien j'ai besoin d'elle, que ses silences et les miens m'étouffent, que sans Mélie je n'aurais pas pu vivre. Mais, si je commençais à parler, je la verrais se rétracter. Sa bonne éducation l'empêche de se laisser aller à m'écouter lui parler de l'amour, et à me dire ce que c'est. Mais, le sait-elle, elle-même ?

Je me lève de table pour préparer le café ; j'aime bien faire le café, c'est une opération un peu magique ; je suis très maniaque quant à la qualité du café ; cela fait rire mon père, amuse ma mère et agace ma grand-mère.

Catherine me regarde en dessous, c'est fou ce que cette fille peut avoir l'air sournois ; je n'ai jamais pu m'habituer à elle ni à personne de cette famille. Je ne me sens apaisée qu'auprès de ma grand-mère paternelle qui vit dans un hameau à quelques kilomètres de notre ville. Oh ! on ne se parle pas, seulement pour l'essentiel — « Va chercher de l'eau au puits ou va voir au nid si les poules ont pondu » — mais je me sens bien auprès d'elle et je crois que sous ses airs brusques de paysanne elle m'aime bien. Peut-être que ce qui nous rapproche, ce qui nous fait différentes aux yeux de la petite communauté c'est notre passion pour la lecture. Elle lit de ces petits fascicules à cinq sous que l'on voit souvent dans les campagnes ; l'on y trouve le pire et le meilleur ; les auteurs classiques et les histoires d'amour les plus larmoyantes ou les crimes les plus sordides. Nous nous comprenons à travers les livres.

C'est tout à l'heure que mes parents doivent aller à la gendarmerie.

Ma mère a les yeux rouges, elle a peur. Ma sœur a un air de jubilation qui ne m'annonce rien de bon. Que faire ? Je monte au grenier, j'essaie de lire, je marche de long en large. Je redescends, je prends mon maillot de bain et une serviette.

« Coiffe-toi, avant de sortir. »

J'obéis à ma mère. Je sors lentement, étonnée qu'elle ne m'en empêche pas. J'attrape mon vieux vélo et je file.

Je passe par les petites rues pour aller chez Mélie ; je me cache déjà.

Samy aboie de joie en me voyant. Je monte à toute allure dans la chambre de Mélie, j'ouvre la porte brutalement : elle est là avec son père. Elle pleure. Son père nous regarde avec tristesse mais avec bonté. Je n'ose rien dire.

« Il y a eu une plainte de déposée contre vous pour outrage aux mœurs ; c'est l'abbé C... qui l'a déposée. Les gendarmes disent qu'il y a des preuves, un cahier dans lequel tu écris ce que tu fais », dit-il en me regardant.

Je chancelle sous le coup. Mon cahier ! Ils ont touché à mon cahier ! Le père de Mélie me secoue, j'allais tomber.

« Allons, allons, du calme, on va arranger ça. Le brigadier est prêt à tout arrêter si on récupère le cahier.

— Qui a pris mon cahier ?

— Alain. »

Non, ce n'est pas vrai ! Pas ce garçon vulgaire et sûr de lui qui nous disait, au tennis, que dans la nature les couples normaux étaient composés d'un mâle et d'une femelle, les autres étant des monstruosités qu'il convenait de détruire. Je ressens encore mon dégoût et ma révolte en entendant cela.

« Qui le lui a donné ?

— Je crois que c'est ta sœur. »

Ma sœur, ma petite sœur !... Je comprends mieux son petit sourire méchant de tout à l'heure. Elle ne dit jamais rien. Elle devait lire chaque jour ce que j'écrivais la veille, et moi, dans ma candeur, qui croyais mon cahier bien caché !

Le père de Mélie lui caresse les cheveux. J'aime bien les regarder, ils sont beaux d'amour partagé. J'envie à Mélie un tel père, si bon, si rassurant.

« Ne pleure pas, tout ira bien. Je vais voir ta mère que tout cela rend malade. »

Nous sommes seules, Mélie renifle et se mouche avec bruit, elle a des plaques rouges sur la figure, son visage de blonde se marque facilement. A la manière dont elle me regarde, je sens comme un reproche : elle n'était pas au courant pour le cahier. Je lui dis beaucoup de choses, mais j'ai mes secrets. Sous son regard je me sens coupable, de quoi, je n'en sais rien. Je me jette à plat ventre sur le lit, je sanglote nerveusement. Je sens le corps de Mélie contracté contre le mien, qui, peu à peu, se détend, s'alanguit. Elle me prend par l'épaule et me retourne face à elle. Elle m'embrasse doucement les yeux, le nez, le cou, puis force mes lèvres de sa langue pointue. Je ne pleure plus, je suis attentive aux caresses. Elle déboutonne mon chemisier, détache le soutien-gorge de mon maillot de bain ; sa bouche a pris la pointe d'un de mes seins et la mordille doucement, de son autre main, elle détache mon short, me retire la culotte du maillot. Je suis nue ! nue dans la chambre ! nue sur le lit ! nue dans la lumière de l'été ! J'aime être nue, vue nue. Je me sens livrée et délivrée. J'ai honte et c'est délicieux. Doucement Mélie écarte mes jambes (je ne les écarte jamais de moi-même. J'aime que l'on m'ouvre), se penche sur mon ventre que je sens battre doucement, sa langue s'insinue, s'enroule, ses dents mâchent mes lèvres, mon bouton si sensible, que je pousse un cri.

« Je t'ai fait mal ? »

J'appuie fortement sa tête sur mon sexe.

Je voudrais qu'elle me mange, qu'elle me fasse disparaître dans sa bouche, en elle ; je voudrais m'anéantir par le sexe, n'être plus qu'un puits vaste et profond où s'engouffreraient tous les sexes du monde, toutes les langues, toutes les mains, être ouverte à tous et à toutes, humains et animaux, sentir des crocs, des griffes, des mufles humides me fouiller, me déchirer, me tuer de plaisir ! Je gémis doucement. Lentement, les doigts de Mélie s'enfoncent en moi, m'explorent, me découvrent, tirent de moi un plaisir qui me tord et me fait crier.

Mélie se couche sur moi, elle tremble. Ses yeux sont lumineux, pleins de larmes et de joie. Je la serre contre moi.

J'ai dû m'endormir, car lorsque j'ouvre les yeux, la lumière n'est plus la même. Mélie, appuyée sur un coude, me regarde.

« Les autres viennent d'arriver, je descends. Tu viens ? »

Je n'ai pas envie de bouger, je secoue la tête, je m'étire longuement. J'aime être seule après l'amour pour le refaire encore dans ma tête.

Ils sont tous là, renfrognés et mornes dans la réserve où nous nous réunissons pour danser ou quand il pleut.

Mélie a dû leur raconter l'entrevue de son père avec les flics, car Michel dit :

« Il faut absolument récupérer ce cahier. »

Cela me paraît évident, mais je connais suffisamment Alain pour savoir que ce ne sera pas facile et qu'il demandera quelque chose en contrepartie. Nous échafaudons les plans les plus compliqués, les moins réalistes, nous partons en guerre contre la société, les bourgeois, les prêtres, les vieux. Nous donnons l'assaut à tous les préjugés, à toutes les sottises, nous foulons aux pieds la morale conventionnelle de la province, à bas les tabous, l'intolérance, les petitesses d'esprit ! Nous sommes les plus beaux, les plus forts, les plus généreux, rien ne nous résistera ; le plus âgé d'entre nous n'a pas dix-sept ans ! Le temps passe, je me sens de plus en plus lasse, de moins en moins concernée, absente. De quoi parlent-ils ? Je m'échappe. Je rêve...

« Tu pourrais au moins faire semblant d'écouter, c'est quand même toi qui nous as mis dans ce pétrin », dit Jeanine d'un ton acerbe.

Ce qu'elle m'agace celle-là avec son gros derrière et son ton autoritaire !

Je me lève et je m'en vais au fond du jardin. Je regarde couler la rivière. Elle est très basse en ce moment. Par endroits, on peut la traverser à pied. Les libellules bleues et vertes voltigent dans tous les sens. De longues traînées de plantes fleuries égaient l'eau. Quatre heures sonnent à Notre-Dame. Je passe d'une allée à l'autre, traînant les pieds. Je mange un peu de persil, quelques radis, le cœur glissant d'une laitue, une poire verte. Je grimpe sur le mur pour cueillir des noisettes, mais j'ai dû déjà les manger, il n'y en a plus. Je m'ennuie.

Je repense à ce qui arrive. Je ne comprends pas pourquoi cela semble déclencher tant d'histoires. J'appréhende le dîner de ce soir. Papa sera là. Ou il ne dira rien ou il criera trop fort.

« Viens, on va au tennis », me crie Mélie.

Tous, sauf moi qui ne sais pas jouer et préfère lire, ont des raquettes qui dépassent des sacoches de leurs vélos.

Je descends pour attaquer la côte de la Trimouille. Les autres pédalent en danseuse. Il fait trop chaud et rien ne me presse. En haut de la côte, je me retourne et mon regard embrasse toute la vieille ville et Notre-Dame, accrochée, comme suspendue à son rocher. J'aime beaucoup cette église romane où est enterrée, dit-on, sainte Philomène, bien que d'autres soutiennent qu'elle n'a jamais existé. Cela m'est bien égal ; vraie ou fausse, elle est là, allongée dans sa châsse, mains appuyées l'une contre l'autre, serrant un lis poussiéreux. De longs fils d'araignée courent de son nez à ses pieds ornés de fleurs autrefois dorées ; sa longue robe blanchâtre a des plis cassants et noircis ; les mites ont dévoré une partie de sa chevelure ; sa tête repose sur un coussin qui a dû être de velours cramoisi, mais il y a tellement de poussière qu'on en devine mal la couleur. Je vais souvent lui parler à cette grande poupée de cire, si présente pour moi et dont le silence m'apaise.

Je remonte sur mon vélo. J'arrive au tennis, tous les courts sont occupés. Les autres sont là, figés, ils regardent Alain et Jean-Claude qui rient en les regardant. Leurs rires s'arrêtent quand ils m'aperçoivent. Jean-Claude baisse la tête. Alain me regarde avec surprise et agacement. Mon cœur bat très fort quand je m'avance vers lui.

« Rends-moi mon cahier.

— Ton cahier, quel cahier ?

— Ne fais pas l'idiot, je veux le cahier que tu m'as volé.

— Je ne t'ai rien volé, c'est ta sœur qui l'a donné à Yves et Yves, à son tour, me l'a donné.

— Pourquoi ?

— Parce que je le lui ai demandé.

— Pourquoi ?

— Pour que tu cesses de " fréquenter" Mélie et pour te punir d'avoir trahi Jean-Claude. »

Je suis soulagée, j'ai compris. Avec un peu de finesse, je dois pouvoir retourner la situation. Je m'adresse à Jean-Claude :

« Jean-Claude, je veux mon cahier, sois gentil, demande à Alain de me le redonner. Si je t'ai fait de la peine, pardonne-moi. »

Qu'il a l'air empoté ce grand garçon de dix-huit ans, comment ai-je pu m'intéresser à lui, le laisser m'embrasser, toucher mes seins ?

Il me regarde sournoisement.

« Je veux bien, mais laisse Mélie et viens avec moi. Je t'aime », me dit-il tout bas en me serrant contre lui.

Je vois Mélie prête à bondir, Jeanine la retient.

Je me laisse aller contre lui, son regard

s'éclaire, sur ses lèvres naît un sourire de satisfaction. Je m'écarte violemment de lui et lui donne des coups de poing, de pied, il lève les bras pour se protéger, je tente de le mordre quand on me tire brutalement en arrière, c'est Alain, rouge de colère, l'insulte aux lèvres :

« Sale petite garce, tigresse, putain, tu n'as pas honte de lever ta main sur un homme ? »

Il me gifle brutalement, ma tête bascule d'un côté et de l'autre, je saigne du nez, les larmes jaillissent, mais je le défie du regard, je me débats de toutes mes forces, je me sers de mes dents, de mes pieds, j'arrive à me dégager. Jean-Claude se précipite entre nous deux :

« Je t'interdis de la toucher.

— Pauvre type ! elle a besoin d'être dressée. Si elle était à moi, je la materais, je la briserais, je la ferais ramper devant moi. »

Je suis folle de rage et de haine, je me sens faible face à ce garçon de dix-neuf ans. J'arrache la raquette des mains de Mélie et l'abat sur Alain qui s'écarte, mais pas assez vite car je le touche à l'épaule. Il tombe en criant. Je veux le tuer, je tiens la raquette à deux mains, au-dessus de lui...

« Ça suffit, crie Bouvard, le responsable

49

du tennis, allez vous battre ailleurs ! »

Il me retire, sans douceur, la raquette des mains. Je me sauve en courant. Je me jette sur l'herbe du pré voisin et je hurle bouche contre terre de douleur, de honte, de colère. Je tremble de la tête aux pieds, j'ai froid et mal au cœur ; je vomis sans bouger. Je sens que l'on me retourne, c'est Mélie en larmes qui m'essuie le visage, m'appelle son amour, son petit, qui me berce doucement. Je tremble moins mais je suis brisée par cet affrontement. Je suis incapable de monter sur mon vélo. C'est Gérard qui le pousse. La petite bande s'en retourne à pied, tête basse. Ils ne disent rien, mes colères leur ont toujours fait peur. Mes jambes me font souffrir, j'ai du mal à marcher, je claque des dents.

« Pourquoi t'es-tu mise en colère ? Ça pouvait s'arranger, c'est fichu maintenant. »

Jeanine a raison, jamais Alain ne me redonnera le cahier après ce qui s'est passé.

Nous arrivons chez Mélie, je monte dans sa chambre me laver le visage et les mains. Je vois dans la glace quelqu'un que je ne connais pas.

Cette personne hagarde, sans âge, aux narines pincées et blanches, aux lèvres pâles et serrées, laide! Ce ne peut être moi, j'ai l'air de sortir d'une mauvaise tragédie. J'y entre et je ne le sais pas encore, mais mon corps l'a deviné, lui, et il tremble.

Je ne sais pas que les jours qui vont suivre seront pour moi déterminants et me laisseront à jamais une blessure que rien ne pourra refermer; que je vais perdre en quelques heures mon enfance, mes amis, mes croyances; que je connaîtrai la lâcheté, la méchanceté des gens qui cependant m'ont vue grandir; que pas une seule fois, au cours de ces jours et des mois qui vont suivre, je ne rencontrerai l'intelligence, l'indulgence, la bonté. Que mise à l'écart comme une criminelle, je devrai, abandonnée moralement, survivre; que la peine à laquelle ils vont tacitement me condamner sera la plus dure que l'on puisse infliger à une fille de quinze ans; que je chercherai à me réfugier dans la mort, mais que ne la trouvant pas assez vengeresse je rechercherai le scandale; qu'ils vont me condamner à l'exception, m'exclure de la grande famille; qu'ils s'écarteront de moi comme autrefois du lépreux; qu'ils me couvriront d'injures, me lanceront des pierres, me gifleront aux coins des rues, leurs gamins gambadant autour de moi en criant :

« Tigresse, oh ! la tigresse ! »

Et que leurs mères, tirant mes cheveux, me traiteront de putain ; que mon père, ma mère, mes oncles et mes tantes, les cousins, les cousines, tous me rejetteront ; que pas un n'essaiera de comprendre, ni même ne me parlera ; que je serai seule, SEULE !...

Je le sens, je ne le sais pas encore. Je m'effondre devant le lavabo, appelant Dieu à mon secours, mais lui aussi m'abandonne. Dieu est mort pour moi.

LE dîner se poursuit en silence, troublé seulement par le bruit des fourchettes, de verre heurtant l'assiette... Personne ne fait honneur aux tomates farcies que réussit particulièrement bien maman. Je fais de vains efforts pour avaler la nourriture, même l'eau ne passe pas. Ma mère a pleuré ; grand-mère me lance des regards noirs ; Catherine, le nez dans son assiette, semble bien embêtée ; mon père ouvre et ferme ses mains nerveusement, signe de colère chez lui. C'est sur Lucas, mon petit frère, qu'elle tombe sous forme de gifle car il a renversé son verre. Ses cris détendent l'assistance, permettent aux grandes personnes un défoulement de mots sur « les enfants qui ne sont plus possibles ». Le repas s'achève sans que l'on ait parlé de rien. Je suis à la fois soulagée et inquiète. Maman et grand-mère débarrassent la table. Je monte au grenier.

Dans le coin qui m'est réservé il y a une grosse poutre sur laquelle je cache la boîte contenant les cahiers des précédentes années. Quatre en tout. J'aime beaucoup mes cahiers. Je relis parfois quelques passages, au hasard. Cela me replonge dans mon enfance toute proche. J'ai eu peur qu'ils ne soient plus là. Mais non, ils sont bien à leur place, mes confidents, mes amis. Ce sont les mots écrits au fil des jours monotones de l'adolescence qui m'ont aidée à supporter une vie qui ne me plaisait pas, entourée de parents et d'amis à qui je ne pouvais rien dire, par timidité et par crainte. Attiré par L'AUTRE, qui, cependant, a toujours été mon ennemi, celui de qui on reçoit plus souvent des coups que des caresses, des mots durs que des mots tendres, qui vous rejette quand on va vers lui, qui vous importune si l'on joue les indifférents. Je me suis donc inventé un ami : mon cahier. A lui j'ai tout dit : mes angoisses devant la mort, mon désir de Dieu, si constamment absent, ma peine de ne pas être aimée comme j'aurais voulu l'être par mes parents, de ne pas les aimer comme je le voudrais. Je me voulais, pour excuser mon manque d'amour, enfant trouvée, recueillie par charité, je n'en étais pas moins « fille de roi ». Quel roi ? Quelle importance ? Ce qui comptait ce n'était pas la connaissance de mon origine, mais sa certitude. Attitude puérile sans doute mais qui m'aidait à supporter une vie familiale sans joies.

Je remets les cahiers aux cartonnages marron et vert à leur place. Je m'installe dans le vieux lit-cage d'enfant qui me sert de canapé. J'ai recouvert le vieux matelas de laine de coussins aux couleurs fanées, brodés de pierrots et de colombines au point de tige ou de bourdon par ma mère et mes tantes quand elles étaient jeunes filles. J'aime particulièrement une grosse tête de pierrot découpée sur fond de satin bleu passé.

J'essaie de lire *La Difficulté d'être* de Cocteau, mais je ne parviens pas à fixer mon attention sur ce texte difficile pour une fille de mon âge. J'arrive à lire plus facilement le dernier numéro de *Mickey*, ensuite je passe à la pile de *Nous Deux* que me prête la bonne de Mélie. Là, les malheurs des belles héroïnes me font oublier les miens.

En fait, je n'oublie rien, j'essaie de calmer ma colère envers Catherine. Ah ! si je la tenais ! La porte du grenier s'entrouvre lentement, c'est elle. Je me précipite avec un hurlement de rage. Je l'attrape par un bras, la forçant à me regarder :

« Pourquoi as-tu fait ça ? Pourquoi as-tu volé mon cahier ?

— Je ne l'ai pas volé, je l'ai montré un jour à Yves pour rire... »

Pour rire ! je rugis, je la frappe de toutes mes forces, elle se met à pleurer en criant.

« Tais-toi ou je te tue. »

Elle crie de plus belle.

« Je ne l'ai pas volé, c'est Alain qui l'a pris un jour qu'il est venu me chercher avec Yves pour aller se baigner. »

Pauvre gourde ! Je la lâche. Ça s'est sûrement passé comme elle le dit. Mais pourquoi a-t-elle, malgré ses pleurs, cet air de contentement narquois ?

A ce moment-là, nous nous haïssons. Comment cette antipathie de notre petite enfance a-t-elle pu se transformer en une haine réciproque ?

« Va-t'en, tu me dégoûtes. »

Elle s'en va presque souriante. Soulagée... elle ne s'en est pas mal tirée.

Je me couche plus tôt que d'habitude et je m'endors tout de suite. Je me réveille. De la lumière filtre par la porte entrebâillée de la chambre de mes parents. « Tiens, ils ne dorment pas ? » Je me lève et, sur la pointe des pieds, je vais écouter. Ma mère pleure.

« Mais enfin, dit mon père, je ne comprends pas, pourquoi les gendarmes se mêlent-ils de ces histoires de gamines. Qu'ont-elles fait ?

— Elles font des choses sales ensemble, hoquette ma mère.

— Des choses sales ?...

— Oui, tu ne comprends donc rien ? Elles font ensemble ce que font les hommes et les femmes. C'est ce qu'il y a dans ce cahier. C'est dégoûtant ! »

Je reçois ces mots comme un coup. Sale mon amour pour Mélie ? Dégoûtant son amour pour moi ? La tête me tourne. Je retourne en titubant dans mon lit. Mais en quoi cet amour est-il plus sale, plus dégoûtant que le leur ? Je ne comprends pas. Est-ce seulement parce que nous sommes deux filles que cela dérange tellement ? Je trouve que c'est beaucoup d'histoires pour peu de chose. Qu'est-ce que ça peut faire le sexe si les gens s'aiment ? Une énorme envie de rire s'empare de moi. Je mets mon oreiller sur ma tête pour étouffer ce rire nerveux.

J'entends la porte de la chambre de mes

parents s'ouvrir en grand, je sens ma mère s'approcher de mon lit.

« Tu ne dors pas ? »

Je ne réponds pas, les larmes ont remplacé le rire. Maman soulève l'oreiller. Nous nous regardons. Comme j'ai envie qu'elle me prenne dans ses bras, qu'elle me console, qu'elle me dise que ce n'est rien, que tout cela n'est pas bien grave, que cela va s'arranger.

« Allez, dors maintenant. »

Comme je l'appelle ! Tout en moi crie : MAMAN ! Mais elle ne m'entend pas.

Je m'endors avec le son méprisant des mots qu'elle a prononcés : « SALE, DÉGOUTANT, SALE, DÉGOUTANT, SALE, DÉGOUTANT, SALE, SALE, SALE, SALE, SALE... »

LE soleil est déjà haut quand je me réveille. J'ai dormi plus tard que d'habitude. J'ai mal à la tête. Tout à coup, je me souviens : c'est aujourd'hui, ce matin, que mes parents vont à la gendarmerie. Oh! que je voudrais me rendormir et ne plus me réveiller!

« Léone, ton petit déjeuner va être froid, crie grand-mère du bas de l'escalier.

— Je descends. »

Je me lève, enfile ma vieille robe de chambre, trop petite pour moi, mais que j'aime bien. Je brosse vigoureusement mes cheveux emmêlés, me lave les dents et la figure, prends le premier livre qui me tombe sous la main et je descends quatre à quatre les escaliers pour essayer de me concilier les bonnes grâces de grand-mère. Je suis la dernière, les tasses des autres s'empilent dans l'évier. Il n'y a que grand-mère. Je l'embrasse du bout des lèvres. Elle me sert mon café. Qu'il est mauvais ! Il a un goût de réchauffé, tout ce que je déteste. Je ne dis rien. Ce n'est pas le moment de râler. Je mange plusieurs tartines de pain grillé, copieusement beurrées.

« Je vois qu'il t'en faut d'autres pour te couper l'appétit. »

Je préfère ne pas répondre. Je me plonge dans la lecture des *Dix Petits Nègres*. La dernière bouchée avalée, je débarrasse la table, l'essuie, sous le regard étonné de grand-mère qui n'a pas l'habitude de tant de soin de ma part.

« Où sont papa et maman ? »

J'aurais mieux fait de ne pas poser cette question. Elle m'a échappé.

« Comme si tu ne le savais pas ! J'ai toujours dit à tes parents que tu tournerais mal. Bien sûr, ils ne m'écoutent pas, te laissent faire ce que tu veux, traîner la nuit avec Dieu sait qui, lire n'importe quel mauvais livre, fréquenter n'importe qui. Voilà le résultat. Ah ! elle est belle leur éducation ! La maison de correction, voilà ce qui t'attend. Ça te dressera, ma petite. Arrête de sourire comme ça et de me regarder de cet air insolent, tu n'as pas honte, petite dévergondée ? Que vont dire les voisins ?

Mme Renaud m'a demandé si les gendarmes m'avaient apporté une mauvaise nouvelle. Je n'ai pas su quoi lui répondre. Quelle honte ! Mon Dieu, que vont dire tes tantes ? Arrête de sourire. »

Elle lève la main sur moi. Je m'esquive rapidement.

« Je t'interdis de me toucher. Je te déteste, je te déteste... »

Je sors de la cuisine en claquant la porte de toutes mes forces. J'entends ses cris.

« Tu ne vas pas sortir dans cette tenue », me dit grand-mère, penchée à la fenêtre de la cuisine... Qu'a-t-elle ma tenue ? Mon short rouge d'il y a deux ans est bien un peu petit et usé, mais il est propre et raccommodé. Il en est de même de la chemisette bleue, un peu délavée, que m'a donnée Yves du temps où nous étions amis. J'ai même mes sandales aux pieds contrairement à mon habitude. Je me suis lavée, coiffée. Que veut-elle de plus ?

« On voit tes fesses, petite saleté ! »

Que de haine dans ces mots. Le short est un peu court, c'est vrai, j'aime bien montrer mes jambes. Et alors ? toutes les filles de mon âge font la même chose, malgré les propos acerbes des vieilles personnes et ceux plus salaces des jeunes hommes de la petite ville.

« Attends au moins le retour de tes parents. »

Ah ! surtout pas, le plus tard sera le mieux !

J'enfourche mon vélo. Je prends la direction de la maison de Mélie. A mi-chemin, je change d'avis. Je prends la petite route qui mène aux étangs. C'est une jolie route poudreuse, toute bordée de chênes qui lui font comme un dais. Je couche le vélo dans le fossé. Je traverse un champ au sol élastique et doux. En contrebas il y a un petit ruisseau où l'on pêche des écrevisses. Je m'allonge tout au bord, une main dans l'eau et l'autre triturant la mousse. Je vois le ciel très bleu au travers du feuillage. Je m'appuie de tout mon poids sur la terre, comme pour m'y enfoncer. Sa fraîcheur m'apaise. Ne plus bouger, me laisser doucement devenir eau, terre, arbre ou vent. M'incorporer à la nature sous sa forme la plus brute, la plus primitive. Être limon. Je m'entends gémir doucement.

Chaque fois que je suis allongée sur l'herbe, dans la campagne, j'ai envie d'être caressée, mordillée, sucée par tout ce qui est vivant. Je referme mes cuisses nues sur mes doigts. Ce geste me fait penser à Mélie. Une douce langueur m'envahit. Je pense aux lèvres de Mélie, à ses doigts, à ses seins, aux fols après-midi que nous passons dans la pénombre fraîche de sa chambre aux volets tirés, à nos rires, à nos baisers, aux parties de Monopoly, de crapette ou de poker que nous disputons âprement entre deux caresses. Je dois aller la voir.

C'est à contrecœur que j'abandonne mes rêveries champêtres.

ILS sont tous assis au fond du jardin sur le mur surplombant la rivière ou sur les vieux bancs sous les magnolias. Ils n'ont pas l'air très gai.

« Ah ! te voilà, ce n'est pas trop tôt ! bougonne Jeanine. Où étais-tu ? Je suis passée chez toi te chercher, ta grand-mère m'a dit que tu étais partie.

— Je suis allée me promener vers l'Allochon.

— Te promener... cette fille est inconsciente, elle a les gendarmes aux fesses et elle va se promener. »

Tiens, c'est vrai, je les avais oubliés, ceux-là.

« Je n'y pensais plus. »

A leurs brusques mouvements, à leurs regards de colère et à leurs exclamations, je comprends que cette fois encore j'aurais mieux fait de me taire. Mais pourquoi ne peut-on jamais dire la vérité à ses amis ? S'ils m'aimaient vraiment, ils devraient se réjouir que durant quelques instants j'aie oublié ce qui me fait peur et mal. Même Mélie me dit :

« Tu exagères. »

Oh ! la barbe ! mais que veulent-ils que je fasse ? Je ne sais même pas ce que veulent les gendarmes.

« Toute la ville ne parle que de ça, m'a dit ma mère. Même qu'elle ne voulait pas que je vienne aujourd'hui, dit Jeanine.

— La mienne non plus, dit Gérard.

— C'est comme la mienne, dit François.

— La mienne aussi », dit Bernard.

Seule Marcelle ne dit rien. Il est vrai qu'elle a dix-neuf ans et que sa mère ne s'occupe guère de ce qu'elle fait.

Mélie se met à pleurer. Je les regarde tous avec plus d'étonnement que de peine. Qu'ai-je donc fait pour que leurs parents leur défendent de me voir ? Car il semble bien que je sois seule en cause. C'est moi et non Mélie qui suis coupable. Pourtant, c'est nous deux qui nous aimons. Il doit y avoir autre chose, mais je ne vois pas quoi.

Voilà Yvette qui arrive en courant, essoufflée.

« Alain est au café de l'Europe avec une bande de copains en train de lire le cahier de Léone. C'est plein de trucs cochons à ce qu'il paraît. Ils rigolent tout en disant : « Ah ! « la garce, la petite salope, la putain, la « sale gouine », et j'en passe !... »

Elle s'arrête, devient toute rouge, lève le bras comme pour se protéger d'un coup. Elle vient de s'apercevoir de ma présence.

Je me lève péniblement, mon corps me semble tout à coup lourd et raide. Je dois faire un effort inouï pour avancer vers Yvette qui n'a pas bougé, comme pétrifiée. Je la regarde au fond des yeux, essayant par mon regard de lui dire ce que mes lèvres sont incapables de prononcer. Personne ne bouge autour de nous. Je sens leur tension. L'air est comme immobile, en attente, plein cependant de forces mauvaises qui ne demandent qu'à se libérer. C'est Françoise, la sœur de Mélie, qui rompt le charme qui nous tenait enfermés.

« Papa te demande, Mélie. »

Mélie se sauve en courant comme pour s'échapper. J'entends les autres chuchoter dans mon dos. Mon corps est de plus en plus raide. Je voudrais me retourner, leur faire face. Je suis incapable de bouger.

« Ne reste pas plantée comme un piquet,

fais quelque chose, me dit Jeanine.

— Laisse-la tranquille », dit Marcelle en me prenant par les épaules.

C'est le seul geste amical que l'on aura vers moi durant de longs mois. Mes yeux se remplissent de larmes. Je ne veux pas qu'ils me voient pleurer. Je repousse doucement Marcelle. Son geste a libéré mon corps. J'ai besoin d'être seule, de réfléchir ou d'oublier. Je ne peux plus les voir ni les entendre. Je descends lentement l'escalier qui mène à la rivière, je détache ma périssoire, je retire mon short et ma chemisette, je les plie en boule et les mets derrière le petit siège ; je m'assieds ; je prends la pagaie et je pousse l'embarcation au milieu de l'eau. Je me sens trop lasse pour remonter le courant pourtant faible. Je me contente de guider le bateau qui descend lentement. Je détache le minuscule soutien-gorge de mon vieux bikini bleu. Je m'offre au soleil.

Les autres m'appellent là-bas, quelques mots me parviennent : folle, malade, inconsciente, cette tenue, évidemment, gendarmes, Mélie...

Mélie... il faut que je lui parle, que je lui explique que je ne suis pour rien dans tout cela, qu'il y a un malentendu. Me croira-t-elle ? Elle m'aime et cependant, je sens

68

qu'elle n'a pas vraiment confiance en moi, qu'elle se méfie, que je lui fais peur. Pourquoi ? C'est curieux, je me rends compte que presque tout le monde a cette attitude avec moi : mes parents, mes camarades, garçons et filles, les bonnes sœurs de l'institution Saint-M., où nous allons ma sœur et moi, les amis de mes parents. On m'observe. C'est comme si on essayait toujours de me prendre en flagrant délit. Mais, flagrant délit de quoi ?

Depuis que je suis en âge de penser, je m'efforce de ne pas leur ressembler. Ne pas ressembler aux enfants de mon âge qui me semblent niais, trop bébés aussi avec leurs jeux stupides. Je sais bien que je joue encore à la poupée. Pas en cachette, non, ce n'est pas digne de moi, mais seule. Car après tout, qui pourrait comprendre la tendresse que j'ai pour ces poupées de chiffons que je me fabrique et à qui je tricote toutes sortes de vêtements ? Il m'arrive également de n'y plus penser pendant des semaines. Cela ne me paraît pas incompatible avec l'amour que j'éprouve pour Mélie et mes lectures de la Bible ou des romantiques allemands que je viens de découvrir. Et maintenant que je grandis, que je vois les adultes, nos modèles, je me dis que non, non et non je ne dois pas leur ressembler. D'abord, ils sont trop laids. Laids de leur complaisance envers eux-mêmes, de leur servilité envers les lois et ceux qui détiennent des pouvoirs, pourtant dérisoires, dans ce coin du Poitou. Ils vivent dans la crainte de choquer, d'être jugés : « Que va-t-on penser de nous ? » et : « Que vont dire les gens ? » sont les phrases que j'ai entendues le plus souvent autour de moi. Ils n'ont aucune liberté. Très vite, j'ai compris que l'homme n'aime pas la liberté, qu'elle n'est pour lui qu'un sujet de conversation. Que libre il est perdu comme un enfant sans père. Il réclame la liberté à grands cris, tue en son nom, torture, avilit. La liberté n'est pas pour eux. C'est un mot qui, moi, me fait rêver. Être libre, cela signifie être assez grande pour m'en aller, échapper à l'emprise de mes parents, de cette ville sournoise où chaque geste est épié et commenté, où les visages et les corps qui reflètent l'âme sont laids aussi. Pour eux, la nudité est une chose honteuse. Moi, j'aime être nue. Je suis fière de mon corps lisse et souple.

Que le soleil est chaud, il me picote la peau. La périssoire vogue mollement. Quel bien-être ! Comment peut-on être méchant par un temps pareil, penser à l'argent, au travail, aux gendarmes ? Les gendarmes, je devrais pourtant bien m'en inquiéter. Cette pensée a dérangé mon frêle bonheur d'exister. Oh ! mais je suis beaucoup plus loin que je ne le pensais ! J'entends sonner l'heure au clocher de Saint-Martial. Douze coups. Il est midi. Jamais je ne serai à l'heure à la maison pour le déjeuner. La perspective de me mettre à table avec ces gens tristes, renfrognés ou hargneux, me décourage. Tant pis, je ne rentre pas. Autant me faire attraper pour quelque chose qui en vaille la peine.

Je passe devant le jardin de l'oncle Chauvet. A cette heure-ci, il n'y a sûrement personne. J'accoste doucement. J'attache mon bateau à la grande barque de pêche et je descends à l'ombre des noisetiers.

Je trouve de délicieuses tomates mûres à point et chaudes, quelques radis très piquants, des abricots, deux ou trois prunes et un peu d'eau à la pompe. Voilà un repas comme j'aimerais en faire plus souvent. Il ne me manque qu'un livre pour me sentir parfaitement bien.

Je m'allonge sur l'herbe, sous le tilleul et je m'endors.

C'est la voix de l'oncle Chauvet qui me réveille. Il ne m'aime pas et je le lui rends bien.

« En voilà une tenue ! Si ta grand-mère te voyait ! »

C'est vrai, j'ai oublié que j'étais torse nu. Je me lève ensommeillée et me dirige vers mon bateau sans dire un mot.

« Et que je ne te revoie plus ici ! »

Je lui tire la langue, ce qui déclenche sa colère. Il en piétine de rage.

Je reprends ma promenade, cherchant un endroit où m'arrêter pour reprendre mon somme interrompu.

Je m'arrête quelques centaines de mètres plus loin. Là, je connais un coin ombragé par un chêne séculaire. J'y viens souvent, été comme hiver, quand je suis triste et déprimée. L'arbre est mon confident, je l'entoure de mes bras, je frotte mes joues, mon front à son tronc rugueux comme font quelquefois les chèvres. Je me presse contre lui, il me semble que je sens sa vie à travers l'écorce et qu'un peu de sa force entre en moi. Je lui parle, je lui dis mes peines, mon mal de vivre, je lui parle de Dieu et de Mélie.

Cet arbre m'impressionne par sa force et sa majesté. Ce n'est pas un arbre commun. Il a vu tant de choses, tant de saisons sont passées sur lui, l'embellissant au lieu de l'abîmer, il est si grand, si large, ses feuilles si vertes, ses glands si gros, qu'il est le maître incontesté du lieu, le sage où s'abritent les oiseaux, les écureuils, mille insectes et même certaine fille à qui son ombre apporte la paix. Dès que je le vois au détour du chemin ou de la rivière, j'éprouve un sentiment de joie comme lorsqu'on aperçoit un ami très cher.

Aujourd'hui, comme les autres fois, j'éprouve du bonheur à le voir. Je le salue à haute voix, j'attache le bateau et je me précipite pour l'enlacer. J'embrasse les crevasses de sa rude écorce dans lesquelles de minuscules araignées dorées courent. Je frotte mes seins, mon ventre contre son corps de bois. Des frissons de plaisir me parcourent toute. J'accentue le mouvement m'écorchant la pointe des seins. Je sens un plaisir aigu et violent m'envahir. Je m'écroule au pied de l'arbre en gémissant. Je m'étire en bâillant et je m'endors.

C'est un chatouillement agaçant qui me réveille. Jean-Claude est là, penché au-dessus de moi. Je me relève d'un bond. Prête à lui sauter aux yeux. Il m'attrape par une jambe et me fait tomber près de lui. Il me prend dans ses bras, tente de m'embrasser, de me pétrir les seins. Je me débats, le griffe, le mords, si bien qu'il lâche prise, moitié riant, moitié grognant.

« Si tu étais gentille, je pourrais demander à Alain de te rendre ton cahier. »

Je le regarde avec un tel mépris qu'il baisse les yeux. Quand je pense que j'ai flirté avec ce pauvre type, que je l'ai laissé m'embrasser, me caresser, que j'aurais peut-être fait l'amour avec lui s'il avait été plus entreprenant et moins brutal. Sa vulgarité me saute aux yeux. Je lui dis mon dégoût, mon amour pour Mélie, je me moque méchamment de lui et de ses sentiments pour moi. Il est devenu très pâle et s'avance, les lèvres serrées, vers moi. Je comprends que j'ai été trop loin. Mais pour rien au monde je ne retirerais ce que j'ai dit. Je monte dans la périssoire, je prends la pagaie et l'abat sur lui. Il réussit à l'esquiver une première fois, puis une deuxième, à la troisième, je lui ouvre l'arcade sourcilière. Il n'y a pas de quatrième, car la vue du sang me calme.

« Va-t'en ! Je ne veux plus te voir. Va dire à ton copain que je préfère mourir plutôt que de lui demander quoi que ce soit. »

Il s'en va, son mouchoir sale appuyé sur son front. J'aurais voulu le tuer. Ma fureur

74

se calme peu à peu grâce à la présence rassurante de mon chêne.

« J'ai eu raison, n'est-ce pas ? »

Je ne suis pas sûre qu'il m'approuve. Il sait, comme moi, que j'ai perdu une nouvelle fois une chance de récupérer le cahier et que la blessure de Jean-Claude va mettre en rage tous les garçons de sa bande. Nous allons faire, mes amis et moi, l'objet de leurs brimades. Tant pis, on se battra. Mais quelque chose me dit que je serai seule à me battre. Et, tout à coup, malgré la chaleur de cette fin d'après-midi d'été, j'ai froid.

J'AI remonté lentement la rivière, songeuse. Il est presque six heures du soir quand j'arrive en vue du jardin de Mélie.

Ils sont encore là. J'entends la voix de Jeanine qui domine celle des autres. Ils devaient me guetter, car ils se précipitent et se penchent par-dessus le mur en poussant des exclamations diverses :

« Ah ! te voilà, ce n'est pas trop tôt !

— Enfin, où étais-tu passée ? Mélie n'arrête pas de pleurer.

— Qu'est-ce que tu vas prendre, ta mère est venue te chercher. »

Voilà qui est plus embêtant, pour que maman soit venue jusque-là, c'est que les choses vont mal pour moi.

Mélie se jette sur moi, manquant me faire tomber sur les marches glissantes qui montent de la rivière. Elle me serre contre elle, m'embrasse comme une folle sur les yeux, le nez, la bouche. Je ne l'ai jamais vue aussi démonstrative. Elle pleure en riant.

« J'ai eu si peur. Tu es tellement bizarre parfois. Je n'aime pas que tu partes seule sur la rivière. Mais enfin, où étais-tu ? »

J'ai failli dire la vérité, c'est-à-dire que je me promenais, que j'en avais marre des tristes mines de la bande et des pleurnicheries de Mélie, mais je sens qu'il vaut mieux trouver quelque chose de plus sérieux, si je ne veux pas les voir se retourner contre moi.

« Je réfléchissais à la manière de récupérer ce cahier.

— A la bonne heure, dit Jeanine, c'est ta première parole sensée depuis deux jours. Tu as trouvé un moyen ? »

Je hoche la tête négativement et je leur raconte ce qui s'est passé entre Jean-Claude et moi. Au fur et à mesure du récit, leurs visages s'allongent, ils craignent les représailles de la bande adverse.

« C'est malin, maintenant on va les avoir tous sur le dos et comme ils sont plus vieux que nous... c'est pas sur ces mauviettes, ajoute Jeanine en désignant les trois garçons plutôt malingres, qu'il faudra compter pour nous défendre. »

Pour une fois, je suis de son avis. Jeanine

et moi sommes beaucoup plus fortes à la course, à la bagarre que nos trois copains réunis.

« On pourrait demander à Jean-Pierre et à Milou de nous donner un coup de main, suggère Michel.

— Et puis quoi encore, gronde Jeanine, pourquoi pas à Yves et Marc ? »

Tous les quatre sont d'anciens flirts de Jeanine qui ne veut plus en entendre parler.

De l'autre bout du jardin la sœur de Mélie nous crie de venir, que son père veut nous parler. Le visage de Mélie s'éclaire de bonheur. Comme elle aime son père ! comme ils s'aiment tous les deux ! Cela me fait plaisir et peine de les regarder.

Il nous attend dans le salon qui sent la poussière et la cire. Les volets sont encore tirés sur la chaleur de l'après-midi.

« Asseyez-vous. »

Je m'assois sur le bord du canapé de velours orangé, un peu passé. Mélie s'accroupit à ses pieds. Il lui caresse les cheveux. Les larmes me viennent aux yeux. Comme j'envie Mélie à ce moment-là. Faire toutes les bêtises du monde pour être pardonnée avec cette douceur, cette tendresse. Il semble le comprendre.

« Viens là, toi aussi. »

Mélie, heureuse, me laisse une place contre lui.

Il nous parle longuement à voix presque basse. Je n'entends pas les mots, je n'en sens que le sens. Cette bonté tranquille, cette tolérance attentive, cet amour qui nous enveloppe toutes les deux. Ma joue, inondée de larmes tranquilles, s'est posée sur sa main. Je voudrais lui dire ce qui se bouscule en moi, ce que j'éprouve pour Mélie, pour lui. Mes difficultés dans mes rapports avec les autres, mon mal à vivre, mon incompréhension devant une société qui semble me rejeter, mes peurs, mes ignorances, cette angoisse qui m'envahit parfois, au point de me laisser sans forces et sans mouvements, devant un avenir que je n'entrevois que fermé. Mais je suis trop intimidée par cet homme bon, trop peu habituée à être écoutée, donc à parler. Mes larmes redoublent devant mon impuissance.

« Allons, calme-toi, petite, je vais essayer d'arranger ça. Ta maman est venue, nous pensons elle et moi qu'il faut récupérer au plus vite ce cahier. C'est le conseil qu'on lui a donné à la gendarmerie. Elle va aller trouver la mère d'Alain pour que celle-ci demande à son fils ce fameux cahier. Maintenant, rentre chez toi et sois gentille avec ta mère. Cette histoire la tracasse beaucoup, bien que je lui aie dit que rien de tout ceci n'était bien grave et que tout allait s'arranger très vite.

J'ai envie de l'embrasser, mais je n'ose pas. Mélie m'accompagne jusqu'au portail. Elle m'embrasse dans le cou en me disant :

« A demain ! »

C'EST d'un cœur presque léger que je monte
la côte qui conduit à la maison. Ce sont des
visages fermés qui m'accueillent. Maman
prépare le dîner, grand-mère lit le journal
local, mon frère embête le chat, ma sœur
brode un napperon et mon père prépare
des fils et des hameçons pour sa partie de
pêche de demain.

Il pose ses fils et ses plombs :

« Pourquoi n'es-tu pas rentrée déjeuner ? »

Oh ! j'avais oublié ! Il faut que je trouve
une explication. Mais cela m'ennuie de men-
tir, alors je ne dis rien.

« Tu pourrais répondre quand ton père te
parle », me dit maman durement.

Répondre quoi ? Leur parler du parfum
de l'eau, de mon ami le chêne, de la douceur
du soleil sur ma peau, de l'eau tiède dans
laquelle je me suis glissée nue pour me
laver des mains de Jean-Claude, des hiron-

delles qui m'ont accompagnée en voletant dans tous les sens jusque chez Mélie, des libellules qui aiment se poser sur le bout de mon bateau, des mots apaisants du père de Mélie ? Non, ils sont trop fermés sur eux-mêmes pour comprendre ces choses banales et bonnes. Je voudrais bien leur dire quelque chose pour leur faire plaisir, mais je ne vois pas quoi.

« On t'a vue toute nue sur la rivière, même que ton oncle Chauvet en a été choqué.

— Le pauvre, il ne lui en faut pas beaucoup ! »

La gifle que je reçois de mon père est une des rares que j'aie reçues. Il laisse plutôt à maman le soin de nous corriger.

Je ne dis rien, je ne pleure pas, je ne crie pas. Une grande lassitude m'envahit. Comme je voudrais partir, être loin d'ici. Je suis si fatiguée tout à coup. Je me laisse tomber sur la chaise basse que ma tante aime beaucoup.

« Mais cette enfant est malade, s'écrie ma mère, regardez la tête qu'elle a ! »

On me tapote les joues, on me fait respirer du vinaigre.

« C'est de la comédie », dit mon père.

Non papa, ce n'est pas de la comédie, mais la peine qui me vient de votre incompréhension, de votre manque d'intérêt pour ce que j'aime : la nature, les livres, les rires, mes amis. Vous n'aimez rien. Vous ne m'apprenez rien, surtout pas à vivre.

Maman me fait allonger sur le divan du salon-salle à manger.

« Repose-toi un peu avant le dîner. »

Comme j'aime quand elle me parle avec cette voix douce et inquiète. Je ferme les yeux pour rester sur cette impression.

C'est la voix de Catherine qui m'arrache à ma somnolence.

Le dîner est morose, comme tous les dîners pris en famille. Vont-ils se décider à me dire ce qui s'est passé à la gendarmerie ? Non. Papa annonce, sous le regard stupéfait de maman, qu'il doit partir plus tôt que prévu en Afrique, que la compagnie lui demande de rentrer au plus vite. Je vois bien à son air qu'il ment et que ce départ précipité a une autre raison que je n'ose m'avouer.

« Ce n'est pas possible, tu ne vas pas me laisser seule en ce moment, avec cette histoire ! Que vais-je faire avec les gendarmes, que vais-je leur dire ? » s'écrie maman au bord des larmes.

Oh ! que je le hais à cette minute, le salaud, le lâche ! Nous abandonner maintenant ! Laisser maman toute seule !

« Ce n'est pas si grave, tu te débrouilleras sans moi. Les femmes sont plus habiles que les hommes dans ce genre d'histoire. Toi, tu es plus calme, moi, je me mettrais en colère. »

Maman baisse la tête. J'ai honte pour lui. Il ne comprend donc pas que ce qu'il fait là je ne pourrais jamais le lui pardonner aussi bien à cause de maman, qu'à cause de moi. A ce moment-là, j'éprouve pour cette femme, qui est ma mère, une grande tendresse. Comme je voudrais lui épargner les désagréments de m'avoir comme enfant.

Je mets ma main sur la sienne. Elle ne la repousse pas.

Un silence accablant est tombé. Personne n'ose se regarder. Je sens que tout le monde pense la même chose, sauf, peut-être, mon petit frère. On n'aime pas voir l'homme de la maison n'être pas à la hauteur du rôle pour lequel nous le croyons fait : nous protéger, être là en cas de danger. Mais lui, de ce rôle, n'aime que les côtés faciles, il laisse les responsabilités à maman qui s'en tire, en général, fort bien. C'est elle la force de la maison, mais c'est de celle de l'homme dont nous avons besoin.

Comme chaque fois qu'il est dans son tort, il se met à crier, disant qu'il en a marre de cette famille, de cette ville, de ce pays, qu'heureusement il doit partir en Afrique, sinon ce serait pour de bon qu'il partirait.

Maman se lève en pleurant et se sauve dans sa chambre. Papa a tout à coup l'air penaud. Il se lève à son tour et monte la rejoindre.

Je suis accablée, c'est moi qui devrais partir. Partir ? Mais où ?

« Tout ça à cause de toi », siffle grand-mère.

Je me lève, prends un vieux pull accroché dans l'entrée et sors en claquant la porte. Je prends machinalement le chemin qui mène à la maison de Mélie. Arrivée devant le portail je crie son nom :

« Mé-lie, Mé-li-e ! »

Elle sort par la porte de la cuisine.

« Il y a un dîner ce soir à la maison. On va bientôt passer à table.

— Mais c'est notre petite Léone, dit le docteur Martin qui vient d'arriver derrière moi. De plus en plus belle, ajoute-t-il en me donnant une tape sur les fesses, de plus en plus sauvage, dit-il devant mon geste de recul. On en raconte pourtant de belles sur toi. »

Je me sens rougir et je le regarde durement dans les yeux.

« Ce n'est pas vous qui pouvez dire quoi que ce soit. »

C'est à son tour de rougir. Mélie a un mouvement de colère vers lui.

« Vous ne pouvez pas la laisser tranquille.

— Tranquille ? Cette petite garce qui s'exhibe nue sur la rivière, qui se promène en ville le cul à l'air ? Qui vous regarde d'un air gourmand et qui deux minutes après vous saute au visage toutes griffes dehors ? Une allumeuse, voilà ce qu'elle est. Qui traîne la nuit à la recherche d'on ne sait quoi, d'on ne sait qui. Toujours un livre à la main. Ah ! ça doit être beau ses lectures. Et elle fait l'étonnée quand on lui met la main aux fesses. Elle n'a qu'à se tenir comme une fille convenable et se comporter comme une fille de son âge si elle veut qu'on la respecte », dit-il en éclatant d'un rire méprisant.

Il ne m'a pas pardonné la fois où je l'ai mordu dans son cabinet alors qu'il m'avait fait mettre torse nu pour faire prétendument une radio. Je revois notre courte lutte.

« Mais pourquoi tu ne veux pas ? L'autre jour, au bal du tennis, quand je t'ai fait danser tu n'arrêtais pas de te frotter contre moi comme une chienne en chaleur, même que j'en étais gêné. »

J'en conviens, mais il oublie de dire qu'il

m'avait fait boire. Et puis, zut, si cela me plaît à moi de me frotter aux hommes, de les apprendre par petites touches, d'apprécier petit à petit la force et la douceur de leurs mains, de m'habituer à sentir grossir leur sexe contre le mien le temps d'une danse, à respirer leur odeur de mâle si différente de celle des filles. Bien sûr, j'ai envie de faire l'amour. Mais aucun de ceux qui m'ont approchée ne m'a suffisamment troublée, émue, pour que je le suive dans une chambre ou dans les bois. Mélie, que j'aime, apaise ma soif de caresses. Et puis, depuis quelque temps, les hommes me font un peu peur, leurs regards sont plus lourds, leurs mots plus crus, leurs gestes plus précis. Je me sens traquée et je n'aime pas ça.

Nos éclats de voix ont attiré la mère de Mélie.

« Ah ! c'est vous, docteur ? On vous attendait pour passer à table. Tiens ! Léone, viens saluer nos amis ! »

J'écarte mes bras en signe de résignation à l'adresse de Mélie et entre dans le salon où j'étais en paix tout à l'heure.

Il y a une dizaine de personnes. Je les connais toutes. Toutes me connaissent, certaines depuis ma naissance. Les conversations se sont arrêtées. Je suis regardée sans aménité par les femmes et avec un air goguenard par les hommes. Je me sens terriblement intimidée. Ils sont tous bien habillés. Moi j'ai toujours mon short trop petit, ma chemisette trop échancrée, mes cheveux roux emmêlés. Je sens qu'ils pensent tous à ce qu'ils appellent déjà « l'histoire », à ce qu'il doit y avoir de corsé dans mon cahier pour que les gendarmes s'en mêlent. Ils m'imaginent au centre des débauches, je le vois à leurs yeux, à leurs lèvres rapidement humectées, je me sens déshabillée par leurs regards concupiscents ou envieux.

« Tu veux boire quelque chose ? » me dit la sœur de Mélie.

Je fais non de la tête et tends la main aux parents de Mélie.

Une fois dans le jardin, je respire mieux. Mélie m'accompagne.

« J'ai peur, Léone, j'ai peur. »

Et moi donc. Je n'ai pas un père comme elle pour me protéger. Ma famille n'a pas l'importance de la sienne et dans cette petite ville cela compte.

Je la prends dans mes bras, lui dis des mots tendrement bêtes, elle sourit.

« Alors, les filles, on se pelote dans les coins, on peut vous aider ? »

C'est le docteur Martin qui s'éloigne avec un rire gras. Il est sorti derrière nous sans que nous l'ayons remarqué.

Je calme Mélie qui tremble et je la renvoie à son dîner.

Je m'en vais lentement, traînant un peu les pieds. La soirée s'annonce d'une douceur exceptionnelle. Je n'ai pas envie de rentrer à la maison. Je lève la tête et j'aperçois le clocher de Notre-Dame. Si j'allais à la tour ?

La tour ? C'est un de mes endroits. J'y viens heureuse ou malheureuse. De là, je domine la ville, la rivière et la campagne. Je suis plus près de Dieu. Pour y arriver, il faut traverser une partie de la ville. Je passe devant de vieilles femmes assises sur des chaises devant leur porte, qui prennent le frais en potinant et en tricotant. J'entends leurs réflexions sur ma tenue. Je fais celle qui n'entend pas. Je traverse le vieux pont, je me penche pour regarder couler la rivière. C'est curieux, je ne peux pas traverser un pont sans m'arrêter pour regarder couler l'eau. Je grimpe la rue si raide, que l'on appelle, je ne sais pas pourquoi, de Brouhar, bordée de maisons dont certaines datent du Moyen Age. Arrivée en haut, je m'arrête pour souffler. Neuf heures sonnent à Notre-

Dame. Je tourne à gauche et j'arrive devant la grille qui défend l'entrée de la tour. Cette grille n'est jamais fermée. Et, bien que l'accès à la tour soit interdit, je me faufile dans l'étroit chemin d'où j'écarte les branches de lilas. Au printemps, cet endroit est un paradis parfumé. Il y a du lilas blanc et violet à profusion. J'en cueille d'énormes bouquets qui embaument la maison pendant des jours. Arrivée au pied de la tour, je monte les trois petites marches qui mènent à la porte condamnée et je m'assieds le dos appuyé contre son bois rugueux.

Je laisse la paix du soir m'envahir. Les hirondelles volent haut, il fera beau demain. La nuit tombe lentement, libérant ses parfums. Quelques lumières s'allument. J'aperçois la maison de Mélie. Il me semble entendre son rire. J'entoure mes jambes nues de mes bras, je serre très fort. Je suis bien. Comme chaque fois qu'un bien-être sans cause m'envahit, je me mets à penser à Dieu, puis à lui parler, à essayer de comprendre les mouvements du monde, de la pensée. J'aime ces moments abstraits d'où je sors à chaque fois, ou presque, avec l'impression d'avoir compris quelque chose, d'avoir fait un pas vers le connu et l'inconnu. Je me sens humble dans ces cas-là, à l'écoute avec tous mes sens de ce que l'on essaie de me faire entendre. L'air est plein de fantômes qui me parlent. J'entends leurs murmures, je sens leurs frôlements. Ils essaient de me transmettre ce qu'ils ont appris et ce que le passage du temps leur a inculqué. Je leur parle. Je leur demande de m'aider à acquérir sagesse et connaissances.

« Adressez-vous à ceux qui vous ont précédée, aux grandes âmes, à ceux qui ont fait de grandes choses. Demandez. Vous êtes de celles qui peuvent tout obtenir. Demandez-leur de vous aider. Ils vous aideront. »

Qui m'a dit cela un jour devant maman qui en souriait ? Une voyante, une astrologue ? Je savais qu'elle avait raison mais je n'ai jamais osé le lui dire, de peur de paraître ridicule.

Quand je suis seule, en contact, pourrait-on dire, avec un ailleurs, les propos que je tiens quelquefois à haute voix ne manquent ni de grandiloquence, ni de prétention, ni de relents de littérature et de philosophie mal digérés. Je sais tout cela. Je crois encore qu'il faut des mots pompeux, des phrases ronflantes, des effets de voix pour parler aux esprits de la nuit. Plus tard, bien plus tard, je saurai que c'est dans le silence de mon cœur que j'entendrai mieux leurs voix.

Les premières étoiles apparaissent. J'attends qu'il y en ait plusieurs, puis j'en compte neuf. On dit, dans mon Poitou, que si l'on compte neuf étoiles pendant neuf jours, le neuvième jour on voit l'homme de sa vie en rêve. Je n'ai pas encore réussi à voir neuf nuits étoilées.

Depuis combien de temps suis-je ici ? Le ciel est superbe, c'est bientôt la pleine lune. Je n'aime pas beaucoup les nuits de pleine lune. Ces nuits-là, je suis d'une grande nervosité, je dors mal. Pour un peu, je hurlerais à la lune comme le font les loups et, dit-on, certaines filles envoûtées par le démon. Cette lumière blanche qui décolore les tissus plus sûrement que le soleil me fait mal aux yeux et au cœur. J'aime les nuits sans lune, pleines d'étoiles.

Un coup sonne au clocher de l'église Saint-Martial, Notre-Dame lui répond. La demie de quelle heure ? Il fait vraiment nuit maintenant. Je dois rentrer au plus vite si je ne veux pas me faire gronder. Je descends en courant le Brouhar. Je cours jusqu'à la maison. Ouf ! il y a encore de la lumière dans la cuisine. Je pousse la porte, maman est là sous la lumière de la lampe, un tricot à la main.

« Tu rentres bien tard, où étais-tu ? »

Je le lui dis. Elle a l'air de me croire.

« Qu'y a-t-il dans ce cahier ? »

Sa question me surprend. Je sens qu'il faut que je lui réponde, que c'est important pour elle.

« Je parle des livres que je lis, de ce que je fais dans la journée, de mes amis, de ce qui se passe en ville, de la vie, quoi.

— Il n'y a pas vos trucs à Mélie et à toi ? »

Je me sens rougir. Oh ! pas de ce que sous-entend sa question mais de ce qu'elle a dit l'autre soir : « Elles font ensemble des choses sales, dégoûtantes... » J'essaie de calmer la colère qui monte en moi. Je préfère ne pas répondre.

Elle n'insiste pas.

« Tu comprends, je dois savoir ce qu'il y a dans ce cahier pour pouvoir te défendre.

— Qu'ont dit les gendarmes ? »

J'ai enfin osé poser cette question qui me rongeait.

« Ils disent que c'est une histoire de gosses, mais qu'ils sont obligés d'enquêter parce que l'abbé C. leur a parlé de porter plainte s'ils ne faisaient pas cesser vos relations contre nature. Ils veulent que nous récupérions le cahier qui est, paraît-il, le seul motif de scandale puisqu'il circule en ville et qu'Alain le fait lire à tout le monde. Le père de Mélie m'a conseillé d'aller trouver la mère de ce garçon.

— N'y va pas, ce sont des gens vulgaires, prétentieux et méchants. Ils feront tout pour nous humilier et ne nous rendront pas le cahier.

— Peut-être, mais il faut essayer. »

Elle a raison, nous restons un long moment silencieuses.

« Tu as encore grandi. Tu devrais t'habiller autrement, surtout en ce moment. »

Ah ! non alors ! je ne vais pas capituler, même là-dessus, maintenant !

Devant mon air buté, elle me dit :

« Écoute, je t'ai toujours laissé faire ce que tu voulais depuis que tu es grande. Tu sors quand tu veux, même le soir. Tu vas danser avec tes amis, tu lis tous les livres que tu désires, tu t'habilles n'importe comment et jusqu'à présent je ne t'ai rien dit. J'ai tellement souffert, quand j'étais jeune, de ne pouvoir rien faire que je me suis promis que mes enfants n'auraient pas la même jeunesse que moi. Ne me fais pas regretter de t'avoir laissée libre. »

Libre ? C'est vrai que je suis beaucoup plus libre que les camarades de mon âge. Même la grande Jeanine qui a un an de plus que moi n'a pas le droit de sortir le soir, sauf le samedi pour aller au cinéma. Je crois que maman a préféré me laisser sortir quand je voulais lorsqu'elle a vu que, malgré ses interdictions, je sautais par la fenêtre le soir pour aller dans les bois ou dans les prés, plutôt que d'avoir à me gronder et à m'enfermer. Peut-être, après tout, comprend-elle ce besoin de solitude. Car, elle sait que la plupart du temps c'est seule que je vais rêver au bord de l'eau ou dans les chemins creux.

« Quand doit partir papa ?

— Après-demain, je l'accompagne à Paris. »

Nous nous regardons sans rien oser dire de plus.

« Va te coucher, il est tard. »

Je l'embrasse avec un peu plus de tendresse que d'habitude. Nous nous sommes parlé. Même si nous n'avons pas dit grand-chose, nous avons essayé.

AUJOURD'HUI, c'est la foire annuelle dans la petite ville. Il y a beaucoup de monde, surtout des paysans venus des villages alentour. J'aime beaucoup ces foires. Je vais d'un marchand à l'autre, fouillant les étalages, dépliant les tissus, caressant les écheveaux de rude laine du pays qui sentent si fort et poissent les doigts d'un suint malodorant ; le marchand d'épices est là aussi, je lui achète un bâton de réglisse. Je ne manque jamais de m'arrêter longuement aux deux ou trois « bazars » qui vendent de tout : de vilaines poupées en celluloïd aux cheveux noirs et jaunes que certaines femmes habillent d'immenses et horribles robes de laine aux couleurs toujours criardes et qu'elles mettent bien en évidence, sur leur lit ; des jouets de pacotille : dînettes, petits meubles, voitures qui perdent tout de suite une roue, tricotin, des pelles et des râteaux qui rouillent trop vite, des ustensiles de cuisine, du papier à lettres, de mauvaises reproductions de vilains tableaux, des vases aux formes impossibles, que sais-je encore ? Toute une production médiocre, mais qui me ravit. Je fais un tour au marché aux bestiaux. Je caresse les jeunes veaux roux et blanc ; j'achète à une paysanne, assise sur un pliant devant son étalage d'œufs, de poulets et de lapins fraîchement tués, un petit fromage de chèvre très sec, comme je les aime. Je le mange en continuant ma promenade.

Cela m'a pris toute la matinée. Je vais quand même chez Mélie pour savoir ce que l'on fait aujourd'hui. Sa sœur me dit qu'elle doit être au café du Commerce avec les autres. J'y vais en courant.

Ils sont tous là sous la tonnelle, regardant d'un air morne l'animation inaccoutumée.

« Eh bien, vous n'avez pas l'air gai !

— Pourquoi ? Parce que toi tu es gaie ? Tu as peut-être des raisons que nous ignorons ? »

Je hausse les épaules et je m'assieds près de Mélie à qui je prends la main.

« On a eu la visite d'Alain. Il veut que tu demandes pardon à Jean-Claude publiquement des coups que tu lui as donnés hier. Tu dois aller ce soir au tennis à cinq heures. Nous devons t'accompagner. Alain, Jean-Claude et toute la bande seront là. »

Je regarde Jeanine sans très bien comprendre. Je me retourne vers Mélie :

« C'est vrai ce qu'elle dit là ? »

Pour toute réponse Mélie fond en larmes. Je l'attire contre moi.

« Ne pleure pas. Il veut nous faire peur. Je n'irai pas. Demander pardon à Jean-Claude ! Il rêve ! Pardon de quoi ? De ne pas avoir voulu me laisser embrasser. J'ai bien le droit d'embrasser qui je veux et de me défendre si un garçon veut me violer.

— C'est ce qu'ils ont dit qu'ils feraient si tu ne venais pas », dit Marcelle en baissant la tête.

Mélie pleure de plus belle ; les garçons détournent la tête d'un air gêné, Jeanine elle-même a l'air ennuyée.

J'éclate de rire.

« Ils sont tellement lâches et froussards qu'il faut qu'ils se mettent à plusieurs pour violer une fille. Je n'y crois pas, ils disent ça pour bluffer. Tous les garçons de la bande d'Alain savent très bien que je sais me battre, que plus d'un a essayé de me coincer dans les petits chemins, mais aucun ne s'est vanté de la raclée qu'il a reçue. Vous vous souvenez de la tête de Jean-Luc ? Il disait partout qu'il était tombé de vélo dans un buisson d'épines. Les épines, c'était moi. Et le grand Paul qui a porté un pansement à la main pendant plusieurs jours, disant que son chien l'avait mordu, un pauvre corniaud qui s'en va la queue entre les jambes dès que l'on élève la voix, c'était moi qui lui avais arraché la moitié de la main avec mes dents ; et Yves et son œil au beurre noir, c'est avec mon lance-pierres. Je n'ai pas peur d'eux. Je n'irai pas.

— Si, tu vas y aller, me dit Mélie avec une voix dure que je ne lui connais pas. Si tu n'y vas pas, je ne te vois plus. »

Ce n'est pas Mélie qui me dit ça, ce n'est pas possible.

« Elle a raison, tu dois y aller, dit Marcelle.

— Mais pourquoi ? Vous savez bien que cela ne changera rien et qu'ils ne rendront pas le cahier.

— Il y a du nouveau. Le père de Mélie est retourné à la gendarmerie. Tout le monde est bien embêté, car cela prend des proportions inimaginables. Non seulement toute la ville en parle, exagérant les faits, disant que vos parents sont complaisants, que d'ailleurs tu couches aussi bien avec les hommes qu'avec les femmes. Les bigotes s'en mêlent, elles parlent de se rendre en délégation chez l'archiprêtre, chez les bonnes sœurs de l'Institution. Elles vont jusqu'à dire que pour t'empêcher de nuire, c'est la maison de redressement qu'il te faut, ou mieux, la prison. »

Je suis atterrée. Tant de haine ! Je revois ces bonnes femmes à la messe se tournant vers la porte chaque fois que celle-ci s'ouvre et se penchant les unes vers les autres pour commenter la toilette de la nouvelle venue, ou la présence de telle autre. Leurs airs inspirés quand elles vont communier. L'ostentation qu'elles mettent dans les gestes de la prière. Leurs regards méchants, quand, à la sortie de la messe, elles regardent les filles jeunes qui descendent en riant les marches de l'église. Je n'ai aucune grâce à attendre d'elles. Tout en moi les révulse : ma jeunesse, ma liberté, ma manière de m'habiller et ma jolie figure. C'est trop de choses à pardonner à une même personne. Si encore j'étais une de ces belles filles un peu sottes comme on en trouve souvent, mais non, je fais figure d'intellectuelle puisque j'ai toujours un livre à la main et que l'on me rencontre souvent au bord des chemins, tellement perdue dans ma lecture que je ne vois passer personne. C'est trop, beaucoup trop. En plus, insolente, voleuse, provocante, les hommes honnêtes sont obligés de détourner la tête devant mes jambes trop découver-

tes, ma poitrine trop offerte ; les mères trem-
blent pour leur fils. Je suis un monstre, une
sorcière, une de ces créatures qu'il faut
éliminer, car leur singularité est un outrage
à la société, un danger, comme certains
livres, certaines images qu'il convient de
détruire. Comment en suis-je arrivée là ? Ce
n'est pas possible qu'un joli visage, la passion des livres, de la liberté, un manque de
soumission aux règles habituelles, mon
amour pour Mélie, me mettent au ban de la
petite ville. C'est trop absurde. Tant de
bêtise et de méchanceté m'accablent. Je me
sens complètement désarmée. Je ne vois pas
par quel côté aborder le problème. Je suis
coincée, comme dans une impasse entourée
de hauts murs d'où la seule chance de
passer est d'attaquer. C'est ce que je décide
de faire.

« D'accord, j'irai. »

Un soupir de soulagement s'échappe de
toutes les poitrines. Seule Jeanine me regarde, méfiante. Je baisse la tête pour qu'elle
ne me voit pas sourire. Elle pourrait comprendre. Nous nous séparons vite, il est
l'heure d'aller déjeuner.

« A tout à l'heure, me dit Mélie.

— A tout à l'heure ! »

LE déjeuner est un peu plus animé que de coutume à cause du prochain départ de mon père.

« Je pense qu'au début de l'année je pourrai vous faire venir. La compagnie construit des bungalows. On m'en a promis un. »

Cela fait trois ans qu'il promet à maman de nous emmener. Je suis comme elle, je n'y crois plus.

« Puisque tu es habillée — pour faire plaisir à maman, j'ai mis la robe de toile rose pâle qu'elle aime bien et qui fait ressortir ma peau bronzée —, me dit papa, veux-tu venir à Poitiers avec nous. Ta mère a des courses à faire.

— Non merci, j'ai un peu mal au cœur. »

Je lui ai dit exactement ce qu'il fallait pour qu'il n'insiste pas. Il a horreur de s'arrêter sur le bord de la route quand je ne peux plus retenir ma nausée.

Le repas terminé, je monte avec une tasse de café au grenier et je prends un livre. Les mots ne restent pas en place sur la page, eux aussi me font mal au cœur. Je n'arrive pas à lire, trop préoccupée par le rendez-vous de cet après-midi. Je m'allonge, les jambes appuyées sur les montants du lit-cage, essayant de réfléchir à ce que je vais faire et dire. Je n'en sais rien. Il n'est pas question que je demande pardon à Jean-Claude. Et cependant, si j'acceptais, Alain et Jean-Claude, magnanimes, me pardonne-raient, me rendraient peut-être le cahier. Je sais exactement comment agir pour cela. Les écouter me faire la morale, promettre de ne plus voir Mélie, flirter avec Jean-Claude, me laisser humilier par les mots blessants qu'ils ne manqueront pas de dire, tant à Mélie qu'à moi. Mélie ne compte pas pour eux, c'est moi qui dois plier, moi qu'il faut soumettre. Jean-Claude serait seul, j'en ferais ce que je voudrais, mais, soutenu par Alain, il est aussi mauvais que lui. Je sais que je n'ai aucune chance de leur faire entendre raison, de leur montrer combien ils sont injustes et se conduisent comme des brutes, qu'ils abusent et de leur force et de l'approbation de la petite ville. Que ce qu'ils me reprochent, aimer Mélie, n'est pas grave, que nous ne faisons de tort à personne. Mais à quoi bon ? Si je faisais ce qu'ils demandent, je ne pourrais plus jamais me regarder dans un miroir, je ne pourrais plus avoir d'estime pour moi. Il ne faut jamais accepter d'être humilié. Jamais.

La voix de Catherine me tire de mes pensées.

« C'est Yves qui veut te parler. »

Yves, c'est notre plus proche voisin et celui qui, le premier, m'a embrassée au cours de merveilleuses parties de cache-cache. Il a trois ans de plus que moi et il est toujours amoureux. Il ne fait pas partie de notre petite bande, ni de celle de Jean-Claude. Il travaille déjà, ce qui le met à l'écart de nos jeux qu'il juge enfantins. Je vais quelquefois me baigner et danser avec lui. C'est un beau garçon, il a un des plus jolis sourires que je connaisse et des yeux rieurs. Je n'accepte plus ses baisers depuis que j'aime Mélie et cela l'a rendu amer. On l'a beaucoup vu avec Alain ces derniers temps, c'est donc sans plaisir et avec méfiance que je le vois.

Il s'assied près de moi sur la vieille descente de lit qui me sert de tapis.

« Je voulais te dire que c'est moche ce qui vous arrive à Mélie et à toi. Qu'est-ce que tu vas faire ? Est-ce que je peux t'aider ? »

Les larmes me viennent aux yeux ; c'est le premier garçon à avoir un mouvement généreux envers moi. Je secoue la tête en souriant.

« Tu es gentil, mais tu ne peux rien faire. C'est à moi de me débrouiller.

— Je pourrais en parler à Alain, il m'écoute, je suis plus vieux que lui. Si je lui dis que tu es avec moi, cela lui suffira. Ce qu'il veut c'est t'arracher à ce qu'il appelle la débauche et te remettre dans le droit chemin. »

C'est donc ça. Je deviens la « bonne amie », comme ils disent, d'Yves ou de Jean-Claude et tout est terminé. Je me sens accablée. Yves prend sans doute mon silence pour un acquiescement car il se lève, m'attire contre lui.

« Salaud ! Tu es comme les autres, ce n'est pas m'aider que tu veux, c'est coucher avec moi ! Je ne t'aime pas, j'aime Mélie, tu entends ? J'aime Mélie. »

Il évite une gifle.

« Petite garce ! Tant pis pour toi, tu l'auras voulu ! Je voulais t'aider. Jusqu'à présent, je t'avais défendue, maintenant, je marche avec eux. Alain a raison, les filles comme toi ça se dresse comme des chevaux sauvages. »

Je suis retournée me pelotonner sur le petit lit, je pleure silencieusement. Je me sens si seule, si petite tout à coup.

On me touche l'épaule. Je me redresse violemment. C'est Yves qui me regarde, comme attendri.

« Ne pleure pas, je ne supporte pas de te voir pleurer. Tu sais bien que je suis incapable de te faire du mal. »

Je lui saute au visage, je le frappe de toutes mes forces. Il me maintient par les poignets. Il est beaucoup plus fort que moi. Il a refermé ses bras sur moi et tente de m'embrasser. Je secoue ma tête dans tous les sens. Cela le fait rire. Il resserre son étreinte. Une brusque chaleur m'irradie le ventre, je sens mon corps s'alanguir contre le sien. Je retrouve le trouble qui m'enveloppait quand nous jouions à cache-cache, dissimulés dans la luzerne fraîchement coupée. Notre ignorance n'avait d'égale que la violence de notre désir. J'étais totalement abandonnée. Mais lui, en dehors de longs et violents baisers qui me laissaient pantelante, il n'osait que de chastes caresses. Il ne comprenait pas pourquoi je martelais sa poitrine de coups de poing quand nos mères, nous ayant appelés pour aller nous coucher, je devais le quitter le corps en feu, insatisfaite. Il me respectait... Que les garçons sont bêtes !

Pour l'instant, le même désir d'être prise m'envahit. Mélie m'a révélé les secrets de mon corps, je sais comment apaiser cette douleur délicieuse qui me mord le ventre. J'imagine qu'un homme doit faire éprouver une sensation plus grande encore. Je réponds à ses baisers, ses mains me parcourent toute, pressent mes seins. Je m'entends gémir. Pourquoi a-t-il ce mot maladroit ?

« Ce n'est pas Mélie qui pourrait te faire cet effet-là. »

L'imbécile, il a tout gâché ! Je m'arrache de lui, prête à me battre.

« Va-t'en, tu m'ennuies. »

Ses yeux brillent d'un éclat mauvais. Il est devenu très pâle, les lèvres pincées. Il fait un mouvement vers moi, puis renonce et s'en va sans avoir prononcé une parole. Je suis soulagée et furieuse. Je regrette qu'il soit parti. J'ai tellement envie de faire l'amour. J'essaie d'imaginer comment ce sera la première fois. Des images délicieusement obscènes défilent dans ma tête. La chaleur au creux de mon ventre est revenue. Je relève ma robe et là, debout, j'apaise frénétiquement mon besoin de caresses. Un plaisir brutal et sans joie me plie. Je retire ma main humide. Je la porte à mes narines, à mes lèvres, j'aime l'odeur et le goût de mon plaisir, il sent les branches de pommier fraîchement cassées.

Trois heures sonnent au clocher. Il est l'heure d'aller retrouver Mélie.

MÉLIE est seule dans sa chambre avec Gérard, ils lisent chacun dans un coin. Je les embrasse, m'installe sur le lit et me mets à lire le livre que j'ai apporté. Nous lisons ainsi jusqu'à l'arrivée de Jeanine et des autres. Aucun de nous n'a l'air très en for-me, nous sommes avachis sur le lit, sur les chaises, par terre, dans cette attitude d'en-nui qui fait dire à nos parents que nous sommes des mollassons et que de leur temps la jeunesse avait plus de nerf. L'un propose une partie de Monopoly, l'autre un tour en barque, une partie de ping-pong au café de l'Europe.

« Si on dansait, ça nous dégourdirait les jambes et ça nous changerait les idées. »

La proposition de Jeanine est acceptée à l'unanimité, mais sans grand enthousiasme. Nous descendons dans la remise qui nous sert de salle de danse et que nous avons décorée comme nous imaginons que sont les caves de Saint-Germain-des-Prés. Aux murs, des photos de Juliette Gréco, Georges Ulmer, Charles Trénet, Edith Piaf, Sydney Bechet, Louis Armstrong, Mouloudji, dont la chanson *Comme un p'tit coquelicot*, met ma grand-mère en colère quand je la chante, car, dit-elle, c'est une chanson dégoûtante. Mélie remonte le phono et met *Éperdument*, notre chanson, me regardant tendrement. Nous dansons amoureusement enlacées. Mais le cœur n'y est pas, nous pensons à autre chose. Le disque terminé, quelqu'un met *Petite fleur*. Mais même le saxo de Sydney n'arrive pas à nous tirer de notre torpeur. Affalés sur les coussins, nous fumons, perdus dans nos pensées. Les disques se succèdent, Gérard s'en occupe, mais personne ne danse. Nous entendons sonner la demie de quatre heures.

« Il va falloir y aller », dit Gérard.

Nous nous levons péniblement. Je remonte dans la chambre de Mélie pour me coiffer. Mélie me suit. Dans l'escalier, elle m'attire contre elle.

« Tu vas voir, tout va s'arranger. »

Mais oui, bien sûr. Tout s'arrangera. Peut-être pas comme tu le souhaites, Mélie. A quoi bon t'expliquer ? Tu ne comprendrais pas. Tu es moins impliquée que moi dans cette affaire. Ne t'inquiète pas. Nous nous embrassons. On serait si bien dans son lit à se caresser. Je le lui dis à l'oreille.

« Tu es folle, ce n'est pas le moment de penser à ça. »

Il me semble, au contraire, que c'est bien le moment. On devrait toujours faire l'amour quand on a un problème, un chagrin, des ennuis car, après le plaisir, les choses les plus graves apparaissent moins noires.

Nous sommes si fatigués que nous ne trouvons pas la force de monter la côte à vélo. C'est à pied que nous allons au tennis dans l'attitude des bourgeois de Calais, moins la dignité.

Cinq heures sonnent quand nous arrivons. Ils sont tous là, y compris Yves, qui nous regardent d'un air satisfait. Ils sont assis devant des jus de fruit. Il n'y a pas de filles avec eux. Je m'avance, pâle dans ma robe rose, le cœur battant à tout rompre, les mains glacées.

« Vous vouliez me voir ?

— Non seulement, me dit Alain, tu n'es qu'une sale lesbienne mais en plus tu t'attaques aux garçons. Hier, tu as failli tuer Jean-Claude. Arrête de sourire comme ça. Mais elle se fout de nous, ma parole ! Mais qu'est-ce que tu te crois ? Tu t'imagines que parce que tu es une fille on se gênera avec une salope comme toi ? C'est à poil qu'on devrait te promener dans les rues pour que tout le monde voit ton sale petit cul.

— Laisse-la tranquille, dit Yves, ce n'est pas ce que tu lui dis là qui la fera changer.

— Tu as peut-être raison. Avec les copains, on pense que cette sale histoire a assez duré. Ce n'est pas bon pour le moral que l'on agite sous le nez des gens honnêtes les saloperies d'une petite pute de ton espèce. Alors voilà ce que nous avons décidé.

— A quoi tu joues, au tribunal ? dis-je en m'asseyant.

— Ta gueule ! Reste debout ! »

Comme je ne bouge pas, il fait signe à deux de ses copains, qui me mettent debout sans ménagement et m'y maintiennent en me serrant fortement les bras. J'ai un regard vers ma petite bande. Ils sont debout, les mains pendantes, Mélie pleure, les autres ont un air malheureux, mais pas un n'a un geste vers moi. Un sentiment de solitude immense m'envahit.

« Lâchez-moi, vous me faites mal. Je resterai debout.

— Ça va. Lâchez-la ! »

Ils me lâchent, leurs doigts ont laissé des traces rouges sur ma peau. Je me frotte comme pour les effacer.

« Tu vas quitter Mélie et ne plus la revoir tant que nous ne t'aurons pas donné l'autorisation. Tu n'iras plus chez elle. Tu retourneras avec Jean-Claude après lui avoir demandé pardon. Il est prêt à te pardonner. Je ne comprends pas pourquoi. Une garce comme toi, il y a longtemps que je l'aurais virée. Mais enfin, c'est son affaire. Si tu nous promets tout cela, si tu jures de tenir ta parole, là, devant tout le monde, je te rendrai ton cahier et les flics abandonneront l'affaire.

— Sinon ?

— Sinon ? Tu regretteras d'être née. Tes parents pourront faire leurs valises. Tu seras virée de toutes les écoles, de tous les lycées de la région. Jusqu'à présent les journaux du coin n'en ont pas parlé, mais ils n'attendent que ça, tu penses ? des histoires de fesses entre filles ! Si tu restes ici, personne ne voudra te parler, les gens t'insulteront dans la rue, tu auras envie de mourir.

— Le cahier ? Si je te promets tout ça, tu me le rendras quand ?

— Demain, à midi, au café de l'Europe. »

On entend seulement le bruit des balles sur les courts voisins. Tout le monde me regarde. Je vais vers Mélie, je lui caresse les cheveux, je l'embrasse malgré les murmures réprobateurs de mes ennemis.

« Tu veux vraiment que j'accepte tout ce qu'ils me demandent ? Ne plus te voir ? C'est ce que tu veux ? »

Mélie baisse la tête et pleure de plus belle. Je la lui relève sans douceur.

« Dis, c'est ça que tu veux ? »

La peur que je lis dans ses yeux me répond. Je la repousse brutalement. Je me retourne vers mes « juges ». Je n'ai plus peur, mon cœur bat normalement. Je m'avance vers eux en souriant. Je sens comme une détente dans l'air.

« Allez vous faire foutre. »

Devant leur air stupéfait, j'éclate de rire.

« Mais qui croyez-vous que je suis ? Comment avez-vous pu supposer les uns et les autres que je pouvais accepter une seule de vos ridicules propositions ? Vous m'avez jugée lâche, comme vous ? Vous avez cru me faire peur avec vos menaces ? Au contraire, vous m'avez donné du courage. Même les gendarmes ne me font plus peur (là, je me vante un peu), alors, ce ne sont pas des minables comme vous qui vont y parvenir. Vous pensiez me séparer de Mélie ? Je l'aime encore plus maintenant. Vous n'avez réussi qu'une chose, c'est de me rendre les hommes odieux. Jamais je n'irai avec Jean-Claude, ni aucun d'entre vous. Vous me dégoûtez. Vous n'êtes que des pauvres types. Je ne vous en veux même pas, je vous méprise. »

Je leur tourne le dos, pas mécontente de moi. Un coup violent à la tête me fait tomber. Dans un brouillard, j'entends le cri de Mélie, j'entrevois le visage d'Yves et tout devient noir.

« Ces gamins sont complètement fous. »

Il me semble reconnaître la voix du docteur Martin. J'ouvre les yeux, c'est bien lui qui est penché vers moi. Il est en tenue de tennis, il y a du sang sur sa chemise Lacoste. C'est bizarre, il me semble que le crocodile vert se moque de moi. J'essaie de me lever,

119

il m'en empêche doucement mais fermement.

« Ne bouge pas, je viens de te mettre un pansement de fortune. Qui t'a fait ça ? »

Je m'en doute, mais je préfère ne rien dire. Je préfère régler mes comptes moi-même.

« C'est Alain qui lui a envoyé une bouteille de Roc-Sain par-derrière, dit Mélie, très pâle.

— Où est-il ?

— Quand ils ont vu Léone tomber, se mettre à saigner, ils se sont tous enfuis sauf Yves qui nous a aidés à l'allonger. Heureusement que vous êtes arrivé, docteur.

— Toujours cette histoire de cahier, je suppose ? Allez, viens, je t'emmène à mon cabinet pour t'examiner plus en détail.

— Non, ce n'est rien, je veux rentrer à la maison. »

J'essaie de me lever, mais un brusque éblouissement m'en empêche.

« Tu vois ? Ne fais pas la sotte. Mélie va venir avec toi. »

Il m'aide à marcher jusqu'à sa voiture. C'est fou ce que j'ai sommeil.

« Allons, ce n'est pas aussi grave que je le craignais. Je n'ai même pas besoin de te faire des points de suture. »

Je me retrouve avec un grand pansement autour de la tête. Je ressemble à Apollinaire comme ça.

« Je vais te raccompagner.

— Non, merci, ce n'est pas la peine, je préfère marcher. Mélie va venir avec moi.

— Comme tu veux. Fais attention à toi, petite », ajoute-t-il, après un moment, en me tapotant la joue.

Je souris en haussant les épaules.

« Merci, docteur. »

« Si on allait à la maison, me dit Mélie, il n'est pas tard.

— Non, je préfère rentrer, je suis fatiguée. »

Nous montons la rue de la Poste en nous tenant par les épaules. Les rares passants que nous rencontrons se retournent sur nous, étonnés : j'ai l'air d'un grand blessé.

Maman pousse un grand cri en nous voyant arriver. Même grand-mère s'empresse auprès de moi.

« Comme cette petite est pâle ! »

Elles me portent presque sur le divan du salon. Mélie les regarde faire, les bras ballants, inutile. Dès que je suis allongée, une grande torpeur m'envahit, puis une immense fatigue, bientôt suivie par une tristesse telle que les larmes se mettent à couler malgré moi, m'inondant le visage comme la mer montante les galets. Avec ces larmes, semble s'écouler de moi le venin de la haine ; un grand désir de résignation, de renoncement monte en moi. Un coup sur la tête peut-il provoquer de tels changements ? Je me sens sourire à travers mes larmes. Les voix de Mélie, de maman, s'éloignent. Je m'endors.

LE lendemain matin, c'est une bonne odeur de café qui me réveille. Maman est là, près de mon lit, fraîche et souriante ; un plateau portant mon petit déjeuner est posé sur le bord du lit. Je me sens soudain très lasse, car ma sœur et moi nous n'avons droit au petit déjeuner au lit que quand nous sommes malades. Elle se penche et m'embrasse doucement.

« Bien dormi, ma chérie ? »

La porte s'entrouvre. Je vois apparaître une partie du visage de mon père.

« On peut entrer ? »

Maintenant, c'est au tour de grand-mère, puis de ma sœur et de mon petit frère. Tant de sollicitude m'émeut et m'inquiète. Pour un peu, je me croirais sur mon lit de mort.

« Mais je ne suis pas malade.

— Bois ton café, il va être froid », me dit maman en posant le plateau sur mes genoux.

Hum ! des tartines de pain fraîchement grillées. J'adore ça. Bien que grand-mère dise que ce n'est pas bon pour la santé, que « ça mange le sang ».

Qu'ont-ils à me regarder comme ça ? Que me veulent-ils ? Je vais le savoir. Maman leur fait signe de sortir.

« Je vais voir la mère d'Alain cet après-midi. As-tu quelque chose à me dire avant ? »

Je la regarde en secouant la tête. Que veut-elle que je lui dise ? Que je désapprouve cette démarche qui ne servira à rien qu'à l'humilier ? Qu'elle n'obtiendra rien de cette femme sûre de son bon droit ? Comme je la sens désemparée, confrontée à quelque chose de trop éloigné d'elle, qu'elle ne comprend pas. Elle a tellement étouffé en elle tout sentiment personnel qu'elle ne sait plus lire les mouvements de son cœur. Comme j'aimerais la prendre dans mes bras, lui dire que tout ceci n'est pas bien grave si nous nous aimons assez pour affronter les autres ! Que si nous les regardons la tête haute, ce sont eux qui baisseront les yeux ! Que je me sens forte et dure par rapport à elle et en

124

même temps si fragile, si faible car, à leurs yeux à tous, je ne suis qu'une enfant.

« Je t'en prie, n'y va pas ! »

Elle retire brusquement sa main que j'avais prise entre les miennes comme pour essayer de lui faire passer avec leur chaleur tout ce que je voulais lui dire et que ma pudeur ou ma maladresse m'empêchaient de formuler.

« La faute à qui si on en est arrivé là ? »

Oh ! que ce cri me fait mal ! Jamais, jamais, je n'arriverai à me faire entendre. Elle se lève et quitte la pièce sans rien ajouter. Blessée, sans doute, par ce qu'elle doit croire être « mon manque de cœur », comme dit grand-mère.

Je quitte brutalement mon lit. Un peu brutalement, car je retombe sur les draps, étourdie. J'avais oublié ma tête.

J'AI beaucoup de mal à me lever malgré l'hostilité que je sens autour de moi et qui me pousse à quitter mon lit et la maison. J'erre d'une pièce à l'autre, allant du grenier à la cuisine, entrant, sortant, ce qui a don d'exaspérer grand-mère qui m'envoie chercher du pain pour être tranquille un moment. J'y vais sans rechigner, heureuse de cette diversion à mon ennui.

Je néglige le boulanger proche de la maison et décide d'aller chez celui dont on dit qu'il fait le meilleur pain de la ville, M. Rouly, dans la ville haute.

J'y vais lentement, encore un peu étourdie par le coup, mais surtout par la douceur de cette matinée d'été. J'ai une robe autrefois verte, maintenant presque blanche à cause des nombreux lavages. Elle est très ample et plutôt longue et se balance voluptueusement, du moins c'est ainsi que je le vois, autour de mes jambes ; des sandales de cuir naturel, presque neuves, un vieux sac en tapisserie découvert chez le brocanteur, telle est ma tenue et je l'aime bien.

Je rencontre deux de mes tantes, qui m'embrassent du bout des lèvres en me demandant où je vais. Elles semblent soulagées quand elles savent que ma promenade a un but. Je les quitte brusquement et pars en courant.

Je traverse le vieux pont et je m'arrête, selon mon habitude, pour regarder l'eau couler. D'où je suis, je peux voir le jardin et le premier étage de la maison de Mélie. Je crois l'apercevoir sur le banc de la terrasse. Une brusque bouffée de tendresse me serre le cœur. Comme je l'aime ! Comme ce serait doux de vivre avec elle, d'habiter la même maison, de dormir dans le même lit, de se réveiller ensemble, d'être caressée chaque fois que le désir m'envahirait, de l'écouter me parler de son père, de la jalousie de sa mère, de ses sœurs, d'elle, de confronter nos lectures, d'admirer les mêmes paysages, sentir le temps passer sans amertume, sans peur.

« Quand je serai majeure, je me marierai avec elle. »

J'éclate de rire, j'ai dit cette phrase à haute voix et, emportée par ma rêverie, je me suis mise à penser *mariage* comme si l'une de nous avait été un garçon pouvant épouser l'autre. De plus je suis confondue pour avoir posé, du moins en pensée, le problème : amour + désir = mariage. Moi qui, au cours de nos conversations entre copains, défendais l'union libre et la liberté pour chacun d'exprimer son désir à tous ceux dont il pouvait avoir envie ; qui leur disais que le mariage était une abomination, un esclavage de tous les instants, tant pous la femme que pour l'homme. Et voilà que pensant à Mélie et à moi, je pensais mariage. Je reprends ma route, mécontente de moi. Je rencontre la mère de Jeanine qui fait semblant de ne pas me voir. C'est donc vrai que les parents de mes amis ne veulent plus qu'ils me voient. Cela me fait de la peine qui se transforme, aussitôt, en colère.

J'arrive chez le boulanger peu de temps avant midi. Il me demande des nouvelles de toute la famille qu'il connaît bien, ayant été mitron chez un des boulangers de la ville basse.

« De bien braves gens, allez, mademoiselle, et pas fiers. »

Je réponds machinalement à ses questions, souriante et patiente, ce qui me surprend, car j'élude toujours ce genre de conversation que je juge purement inutile, pour ne pas dire stupide.

Je peux enfin partir, la minuscule boutique s'étant emplie peu à peu de clients, heureusement peu pressés.

Mon pain chaud serré contre moi, je descends en courant le Brouhar, retraverse le vieux pont, sans m'arrêter cette fois. Je casse un bout de pain. Qu'il est bon ! Quand j'arrive à la maison, le pain a sérieusement diminué et la famille est à table.

« Tu ne peux pas être à l'heure, si ce n'est pas trop te demander ? s'écrie mon père.

— Où as-tu été traîner ? dit ma mère.

— Le pain, regardez le pain, ce n'était pas la peine d'aller le chercher si loin pour en rapporter si peu », dit grand-mère en me retirant des mains ce qui reste du pain.

Je m'assieds en silence. Je n'ai pas faim.

Le déjeuner se passe en silence. Chacun pensant à la visite de maman à la mère d'Alain.

Le déjeuner aussitôt terminé, je me lève, plie ma serviette et me dirige vers la porte. Maman me lance un regard de reproche, j'ai un mouvement vers elle, mais je le refrène, consciente que cela ne sert à rien.

« Je prendrai bien un café », dit mon père en me regardant.

Je mets l'eau à chauffer, prends le café sur l'étagère au-dessus de la cheminée, le moulin à café sur l'étagère à côté, verse les grains de café dans le moulin et, m'asseyant, le moulin coincé entre mes cuisses, je me mets à tourner la manivelle lentement. Je sens les tressautements du moulin contre mon ventre ; le bruit des grains broyés envahit ma tête ; le fort parfum du café fraîchement moulu emplit mes narines ; mon bras s'engourdit peu à peu. Je sursaute quand la voix sèche de grand-mère dit :

« Réveille-toi. Tu ne vois pas que tu tournes dans le vide ? »

Je retire le tiroir en faisant attention de ne pas renverser le trop-plein de café ; je sors du placard la vieille cafetière en terre, bien culottée par de nombreuses années d'usage. Je mets la quantité suffisante dans le filtre et, l'eau de la bouilloire commençant à chanter, j'en verse la valeur de deux cuillerées à soupe afin de faire gonfler le café. La poudre frémit, semble lutter contre l'envahissement de l'eau, se gonfle, puis enfin s'apaise. A ce moment-là, je verse l'eau nécessaire pour faire le café pour quatre personnes. La pièce embaume. Il me semble que chacun se détend grâce à la bonne odeur. Je vais chercher les tasses de porcelaine blanche à l'intérieur doré, marquées aux initiales de la famille de grand-mère. Il ne reste que quatre ou cinq de ces tasses. Je les aime beaucoup, prétextant que le café est bien meilleur bu dedans. C'est aussi l'avis de mon père, sinon celui de grand-mère qui a toujours peur que l'on casse ces survivantes de son enfance. Je pose le sucrier sur la table, les petites cuillères dépareillées, et, le café étant passé, je retire le filtre et verse le chaud liquide dans les tasses.

« Hum ! fameux ! dit mon père.

— Un peu fort, peut-être, dit ma mère.

— Avec un doigt de lait, il sera parfait », dit grand-mère.

Quant à moi, je ne dis rien, me contentant d'apprécier et l'odorant breuvage et l'approbation dont, pour une fois, je fais l'objet. J'ai accompli ces gestes dans un état second. Trop isolée par ce qui m'arrive et auquel je ne comprends rien.

J'embrasse maman, mets un livre, un cahier et un crayon, une pomme et une barre de chocolat dans mon sac, et je m'en vais.

Je n'ai pas envie de voir Mélie. J'ai besoin de réfléchir. Je marche au hasard des rues vides et silencieuses de ce début d'après-midi. Bientôt, je suis hors de la ville et je prends les chemins parallèles à la route de Saint-Savin. Je marche de plus en plus lentement, poussant du pied des cailloux ou des feuilles. Je descends dans un pré où se trouvent les ruines d'un petit pont qui me sert d'abri les jours de pluie, le ruisseau qu'il enjambe étant tari, sauf deux ou trois mois à la fin de l'hiver. Il y a là de la mousse séchée apportée par moi lors de précédentes visites, en vue de rendre l'endroit un peu plus confortable. J'en fais une sorte de matelas sur lequel je m'allonge les mains derrière la nuque.

Sur la voûte des limaces avaient laissé leurs traces luisantes, faisant comme des broderies transparentes ou argentées ; d'immenses toiles d'araignée, du lichen noirci ou desséché pendaient de la voûte, formant une tenture aux dessins fantastiques et comme vénéneux. L'endroit était assez sinistre et, après la chaleur de la lumière du dehors, froid et sombre comme un puits. Je me complaisais dans cette ambiance de roman noir où mon imagination frénétique n'était arrêtée par la moindre pensée cohérente ou optimiste, mais où elle vagabondait, au contraire, dans les contrées morbides, exacerbée par un climat de tension, d'antipathie, de suspicion, d'incompréhension et de haine. Prise par la pénétrante humidité du lieu, frissonnante de froid, de peur et de chagrin, je me laissais envahir par une mélancolie romantique, qui me faisait répandre des larmes bien amères. Je me tordais de douleur sur mon lit de mousse, appelant à moi tous les dieux et génies de mes livres, les suppliant de m'épargner ou de me tuer sur-le-champ. Dans mon délire, je trouvais aux autres, parents, amis, habitants de la petite ville, toutes les raisons de me mépriser et de me haïr. N'étais-je pas un objet de honte pour la cité ? un exemple déplorable pour les adolescents de mon âge ? Tout en moi respirait le vice, le péché, j'étais une sorcière, celle que l'on poursuit, que l'on chasse, que l'on tue à coups de pierres ou par le feu. Je sentais les flammes monter le long de mes jambes, je rendais mon âme au diable en demandant pardon à ceux que j'avais pervertis, en priant Dieu de me prendre sous sa sainte garde. Mais un immense ricanement m'avertissait que Satan ne voulait pas laisser échapper une proie si digne de l'enfer. Certes, j'avais mérité un tel châtiment. Le cachot eût été trop doux pour une créature aussi mauvaise que moi. Je me frappai la poitrine, hoquetant des mots sans queue ni tête. Pour un peu, je me serais arraché les cheveux, comme les héroïnes de romans anglais, ou griffé le visage. Mais là, il ne faut pas exagérer, je suis en plein délire romantique d'accord, mais je tiens à conserver ma jolie figure.

J'ai donc gardé au milieu de ces cris et de ces larmes une assez grande lucidité de mon état physique, pas moral, hélas! tant ma souffrance, bien qu'exprimée d'une manière excessive, était réelle. Je me suis calmée peu à peu, j'ai essuyé mes yeux avec un pan de ma jupe, toute chiffonnée. J'avais faim. Tout heureuse de retrouver la pomme dans mon sac ainsi que le chocolat. Ce léger goûter m'a fait du bien. Je suis sortie frissonnante de mon triste abri et j'ai entrepris de trouver une source que je savais n'être pas très loin. Je l'ai trouvée bien cachée par des ronces et me suis baignée le visage avec son eau fraîche. J'en ai bu un peu. Elle avait un goût de menthe. Je me suis assise non loin d'elle sous un gros chêne, le dos appuyé au tronc rugueux, écoutant le bruit à peine perceptible de la petite source. Peu à peu, une grande paix triste m'a envahie, j'ai essayé, sans colère, sans parti pris, de réfléchir à ce qui se passait autour de Mélie et de moi. Apparemment, rien ne justifiait le fait que les gendarmes se soient déplacés. A ma connaissance, aucune plainte n'avait été déposée. Contre qui, contre quoi, eût-on pu la déposer ? Nous sommes deux mineures, que la rumeur publique désignait comme lesbiennes. Je ne voyais pas où était le délit. Aucun adulte n'était mêlé à notre histoire. C'est une histoire de J3, comme je l'avais entendu dire par le docteur Martin. Nous ne provoquions personne, ni par notre attitude, ni par nos propos. Mélie était d'une bonne famille bourgeoise de la ville, bien en place et se mêlant peu aux ragots d'une manière générale ; quant à moi, ma famille était plus modeste, mais plus honorablement connue ; jamais aucun de ses membres n'avait créé le moindre scandale. Alors ? Quelles raisons ? Je ne pouvais pas croire que ce déploiement de méchanceté et de petitesse ne fût que pour moi. L'objet ne me paraissait pas avoir suffisamment d'intérêt. Que me reprochait-on ? J'essayais honnêtement de leur trouver des raisons. Je n'en voyais aucune. Je ne pouvais quand même pas imaginer que ma beauté (toute relative), mon goût de la liberté, des livres, des reparties vives (pas toujours), mon amour pour une fille de mon âge, mes flirts sans conséquence, mes jambes trop nues et mes maillots trop petits, mon cahier, suffisent à mobiliser les gendarmes, les parents de mes amis, un prêtre, et, je n'allais pas tarder à l'apprendre, les religieuses de mon école, les professeurs de celle que fréquentait Mélie, et une bonne partie des habitants de la petite ville, jeunes et vieux. Quelque chose m'échappait, mais j'étais bien incapable de savoir quoi. Je décidais d'aller en parler à Mélie, peut-être son père pourrait-il m'éclairer.

Mélie était dans sa chambre, entourée par les membres de notre petite bande. Quand j'entre, j'ai l'impression que je les dérange, ils cessent de parler et après un bref regard sur moi se détournent. Mélie est assise sur son lit avec Jeanine qui la tient par l'épaule. Je ressens un bref pincement de jalousie. Je vois que Mélie a pleuré, son visage de blonde ne supporte pas les larmes et se marque tout de suite. Je vais vers elle, pleine de tendresse et d'agacement — j'avais tant espéré la trouver seule —, je pousse Jeanine sans ménagement.

« Qu'as-tu ma chérie ? As-tu appris quelque chose de nouveau ? »

Elle secoue la tête en soupirant.

« Que veux-tu qu'elle apprenne de nouveau ? C'est de toi que doivent venir les nouvelles bonnes ou mauvaises, dit Jeanine. Mais, j'y pense, c'est bien aujourd'hui que ta mère doit aller voir celle d'Alain ? Tu devrais rentrer chez toi pour savoir comment ça s'est passé.

— Je le saurai bien assez tôt », dis-je en haussant les épaules.

Cette simple réflexion a eu le don de la mettre en colère et d'énerver les autres.

« Si tu ne penses pas à toi, ni à tes parents, pense à Mélie, à nous, à nos parents. On dirait que tu ne te rends pas compte. On dit sur toi des horreurs, peut-être pas toutes fausses d'ailleurs ; que tu couches avec Pierre et Paul ; que tu lis des livres cochons ; que tu te mets nue à la fenêtre de ta chambre pour exciter les gens ; que tu ensorcelles tous les hommes, là, ils

138

exagèrent ; bref, que nous ne devons plus te voir ; plus te parler ; que tout en toi est mauvais et que l'on devrait t'enfermer. »

Jeanine s'arrête, comme essoufflée, elle a débité tout ça, sans respirer, à toute vitesse, comme pour se débarrasser d'un poids trop lourd ou d'une haine trop forte. Un silence pesant règne dans la chambre. Seuls les battements de mon cœur me semblent envahir la pièce.

« Cesse de sourire, crie-t-elle en se levant. Si tu aimais vraiment Mélie, tu la quitterais, tu ne la reverrais plus. Arrête de sourire, on en a assez de toi, de tes grands airs de madone affranchie, de sauvageonne de province, d'intellectuelle à la gomme, de tes mines de petite fille quand les hommes te parlent ou te regardent, de ton prétendu amour pour Mélie. Ah ! il est beau ton amour ! Ça ne t'empêche pas de flirter avec Jean-Claude, Yves et tous ceux qu'on ne connaît pas, et peut-être pas seulement flirter. Je sais, moi, que tu es capable de tout quand tu as envie de quelque chose, quand quelqu'un te plaît... Arrête de sourire... »

Elle a levé la main sur moi, j'esquive le coup et je me trouve derrière elle. Alors, calmement mais rapidement, j'abats le tranchant de ma main sur sa nuque, de toutes mes forces, comme je l'ai lu dans la Série Noire et vu faire dans les films de gangsters. Elle tombe mollement. J'espère bien l'avoir tuée.

Mélie a surgi près de moi.

« Tu es folle », dit-elle en se penchant vers Jeanine qui revient, malheureusement, à elle. Elle se frotte la nuque en me jetant un regard peureux. Les larmes lui viennent aux yeux.

« La vache, tu aurais pu me tuer.

— Fous le camp ! lui dis-je en ouvrant la porte, partez tous ! C'est moi qui ne veux plus vous voir. Vous êtes trop lâches, trop moches. »

Je les repousse violemment. Jeanine est trop étourdie pour me résister, les autres, trop mous. Le dernier parti, je claque la porte derrière lui. J'entraîne Mélie vers le lit et la force à s'asseoir. Une folle envie de la battre me saisit, je lui serre si fort les mains qu'elle gémit.

« Arrête, tu me fais mal ! »

Je desserre l'étreinte, un peu honteuse.

« Ce n'est pas vrai ce qu'a dit Jeanine, je t'aime. Ces histoires avec les garçons c'était bien avant. (Là, je mens, mais qu'importe, l'essentiel, c'est qu'elle me croie.) Je t'aime et je ne veux pas te quitter. Tu ne le veux pas, toi non plus ? »

Elle détourne la tête, pleurant à nouveau. Une brusque angoisse me saisit : si c'était elle, qui voulait me quitter. Pas vraiment de son propre chef, non, mais elle est si faible face aux pressions des autres. Et elle doit avoir tellement peur de faire de la peine à son père.

Je m'allonge sur le lit, comme assommée. Je veux bien me battre avec Mélie, mais pas contre elle. C'est à mon tour de pleurer, j'essaie de retenir mes larmes. Mon désarroi est trop grand, trop grande aussi la lassitude qui s'abat sur moi. Je laisse mes larmes s'échapper doucement de moi.

Un souffle chaud contre mes cuisses me ramène à la réalité. Mélie m'embrasse l'intérieur des cuisses. J'ai remarqué que chaque fois que je pleure cela lui donne envie de me caresser. Je soulève mes reins pour l'aider à retirer ma culotte et j'ouvre mes jambes. Que c'est doux. Sa langue pointue joue avec mon désir, ses doigts m'écartent. Je me laisse aller et emporter par le plaisir. Je gémis doucement. J'arrache sa tête de mon ventre et j'embrasse ses lèvres toutes parfumées de moi. Elle prend ma main et la dirige vers son sexe. Mes doigts se referment sur une petite motte dodue, tendue vers moi, mais Mélie repousse brutalement ma main au moment où la porte s'ouvre.

« Tu n'entends pas, c'est l'heure du dîner, il y a un moment que je t'appelle. »

Je bondis. L'heure du dîner, je vais être en retard. Aujourd'hui, ce n'est pas le jour. J'embrasse Mélie rapidement, bouscule Françoise au passage et pars en courant vers la maison. Je suis arrêtée dans ma course par Jean-Claude qui m'a happé le bras. Il essaie de m'attirer contre lui. Il me dit qu'il m'aime, qu'il fera ce que je voudrai, mais que je veuille bien l'embrasser seulement une fois. Il me tient fermement. Je l'embrasse pour payer mon passage, mais cela ne lui suffit pas, il me serre de plus en plus fort contre lui. Je le mords violemment pour l'obliger à me lâcher. Je reprends ma course un goût de sang aux lèvres.

Comme je le craignais, ils sont tous à table mais n'ont pas encore commencé le repas.

« Va te coiffer et te laver les mains », dit ma grand-mère.

142

J'obéis et je reviens prendre ma place. Maman a pleuré, grand-mère aussi. Seul papa a l'air en forme. C'est demain qu'il part. Le dîner est vite expédié car les oncles et les tantes viennent passer la soirée à la maison pour dire adieu à mon père.

« Tu peux aller au cinéma ou te coucher, dit ma mère, visiblement peu désireuse que je me trouve en présence de la famille. Catherine vient avec toi. »

Ça c'est moins drôle. Je prends l'argent qu'elle me tend.

« Ne rentrez pas trop tard. »

La nuit est douce. Les graviers crissent sous nos sandales. Je me sens soulagée, pour un moment. Personne n'a parlé de la visite de l'après-midi et demain maman part avec papa pour deux ou trois jours. Je sais que ce moment de répit est illusoire, que de toute façon je devrai affronter cette conversation à un moment ou à un autre, mais j'ai l'impression que le temps qui passe sans drame pour moi est du temps de gagné.

Surprise, en arrivant au cinéma, c'est un bon film que l'on donne : *Le Fantôme de l'Opéra.* J'ai lu le livre et je me fais une joie de voir cette histoire en images. Je prends les billets. Les gens me regardent bizarrement, personne ne vient me parler, ni les copains, ni les garçons qui me tournent habituellement autour. Des femmes chuchotent entre elles, en me regardant avec colère, dégoût ou dédain, leurs maris se détournent de moi, gênés. Je me sens la proie de tous les regards, l'objet de toutes les conversations. Je supporte mal cette tension. Je vais marcher sur le boulevard en attendant la sonnerie qui annonce le commencement de la séance. Catherine ne m'a pas accompagnée, elle bavarde en riant avec l'ouvreuse qui est aussi la fille des propriétaires du cinéma. Enfin, la sonnerie. Je monte les marches, mais on me bouscule, on me repousse. Un gamin me fait redescendre trois marches.

« Alors, la tigresse, tu te bouges ? »

Je lui fais face. Autour de moi, un cercle de visages hostiles, des bouches tordues sur des injures et des cris de haine.

« Si c'est pas une honte, des traînées pareilles ! »

Qui a dit ça ? Mais, c'est Mme C... dont le mari va à la messe tous les dimanches, à vêpres, et qui tripote les petites filles du catéchisme. Je hausse les épaules et écarte la bigote dont la voix aigre me poursuit :

« Regardez, ça se croit tout permis. Putain, va ! »

Je me retourne en lui tirant la langue, elle lève le poing vers moi.

Nous nous asseyons à nos places, Catherine et moi. La salle est comble, mais personne ne vient s'asseoir à côté de nous. Je sens Catherine prête à pleurer. Je lui pince le bras méchamment. Ah ! non. Cette gourde ne va pas se mettre à pleurer devant eux, alors que c'est en partie à cause d'elle que nous nous trouvons dans cette situation ! Heureusement, la lumière s'éteint. On a droit à un documentaire insipide, à des actualités vieilles de plusieurs mois et à l'entracte. Contrairement à mon habitude, je ne bouge pas de ma place. Catherine revient avec un chocolat glacé. J'ai pris mon livre et j'essaie de ne penser qu'à ce que je lis. Ce n'est pas facile.

« Elle veut se donner un genre ; ne pas être comme les autres ; la vie se chargera bien de lui rabattre sa fierté ; elle se croit plus belle que les autres ; elle couche avec tout le monde, c'est mon coiffeur qui me l'a dit. Coureur comme il est, il sait de quoi il cause. »

Je me sens engloutie par un flot de boue.

J'ai mal au cœur, j'ai envie de leur crier que je suis vierge, que jamais le sexe d'un homme n'a pénétré le mien, que seule Mélie en connaît le goût. Au moment où j'allais me lever la lumière s'éteint et je me trouve heureusement plongée dans l'obscurité pour cacher mes larmes. Je sens Catherine tendue à côté de moi. Je suis sûre qu'elle regrette son geste. Mais c'est trop tard. Nous sommes entraînées dans un tourbillon qui va nous engloutir toutes les deux, car elle paiera elle aussi sa lâcheté et sa complaisance. Nous ne le savons pas encore, mais pour la première fois de notre vie, nous nous tenons la main, comme pour nous rassurer.

Dans l'état de nervosité dans lequel nous étions, ce n'était vraiment pas le film qu'il fallait voir. Très longtemps, je fus hantée par les poursuites le long des égouts de Paris et dans les combles de l'Opéra et par le visage ravagé par le vitriol du fantôme.

Le film terminé, nous rentrons à la maison sans incident.

Des éclats de voix m'avertissent que la famille est encore réunie au grand complet.

Nous montons nous coucher sans faire le moindre bruit. Contrairement à mes craintes, je m'endors très vite.

UN remue-ménage inhabituel me réveille tôt le lendemain matin. Maman entre et sort à la recherche d'objets dispersés par papa. Catherine et moi, nous la suivons du regard, endormies. Papa vient nous embrasser et nous faire promettre d'être sages.

« Surtout toi, ma grande. Je compte sur toi. »

Il m'embrasse tendrement. Je me raidis. Il compte sur moi ! Et moi, sur qui puis-je compter ? Mon regard doit être éloquent, car il ajoute :

« Ne t'inquiète pas. Je te promets de vous faire venir très vite. Tout va s'arranger. »

Maman m'embrasse aussi.

« Ne fais pas de bêtises, je t'en prie. Je serai de retour dans trois jours. Ne fais pas enrager ta grand-mère. »

Ils descendent l'escalier, la porte claque,

les portières de la voiture qui démarre aussi. Puis c'est le silence.

Je me recouche, je me mets sous les draps, en boule, essayant de me faire la plus petite possible. Un gros poids m'écrase la poitrine, j'ai mal dans le dos, dans le ventre, au cœur, je manque d'air, mais je ne veux pas soulever les draps. J'ai peur de les voir tous autour de mon lit, avec leurs yeux mauvais, leurs doigts me désignant aux gendarmes, leurs paroles de fiel, l'horreur de leurs visages enlaidis par la haine, rendus stupides de méchanceté gratuite, leurs convictions d'honnêtes gens étalées sur toute leur triste personne, leurs désirs de détruire l'autre parce qu'ils le sentent différent, ils sont tous là, pour me prendre, pour me faire mal : les gendarmes à l'air bovin et aux mains rouges, le képi solidement enfoncé, Alain ricanant, Yves avec l'air « Je te l'avais bien dit », Jeanine, l'œil brillant, Catherine souriant sournoisement, le docteur Martin tenant son sexe à la main et le brandissant vers moi, l'archiprêtre et son air patelin, frottant avec un bruit de papier de soie ses mains maigres l'une contre l'autre, mon père et son « je compte sur toi », ma mère, les yeux rouges, disant d'une voix hystérique : « des choses dégoûtantes, dégoûtantes, dégoûtantes, dé-goû-tantes, tantes, tantes, tantes » ; les tantes sont là, elles aussi, faussement compatissantes, secrètement ravies de ce qui arrive à cette nièce « pas comme les autres » ; grand-mère, les lèvres serrées ; les bonnes sœurs de l'institution Saint-M., sœur Saint-Émilien en tête : « Mademoiselle D., vous me copierez trois cents fois : je ne dois pas troubler le cours de mathématiques. Sortez, vous êtes une insolente » ; la sœur supérieure au regard froid et méchant, qui ne m'a jamais pardonné de l'avoir surprise en péché de coquetterie ; Mme C... brandissant son poing vers moi ; la bouchère dont le mari aime les petits garçons ; la femme du garagiste qui rejoint le mari de la marchande de journaux dans les chemins creux près de l'Allochon ; celle du bijoutier qui raconte à qui veut l'entendre la dernière fredaine de son mari ; l'abbé C..., l'air d'un vertueux jeune prêtre, qui s'éprendra d'une femme mariée et renoncera à son sacerdoce. Jean-Claude, tenant ostensiblement une fille par la taille, et... oh ! non... ce n'est pas possible... là... non... Mélie. Mélie ricanante, dansant une ronde obscène avec eux, riant en me montrant du doigt, se frottant aux filles, aux garçons, se noyant dans la foule sans cesse grandissante, envahissant la chambre, les murs, portant mon lit comme une barque sur une mer déchaînée aux vagues montantes, descendantes, tourbillonnantes, de plus en plus haut, de plus en plus profond...

« Mélie, Mélie... »

Catherine me secoue.

« Réveille-toi ! réveille-toi ! Tais-toi, grand-mère arrive. »

Je m'écroule en sueur et en larmes sur mon lit dévasté, au comble de la terreur.

« Que se passe-t-il ? »

Grand-mère n'ajoute rien, elle sort et revient avec une serviette mouillée. Elle me force à m'allonger et me met le linge humide sur le front. Elle lisse mes cheveux en désordre, mes sanglots s'apaisent, je tremble moins. J'ai l'impression d'être redevenue petite. Tiens, j'ai huit ans, j'ai une congestion pulmonaire et grand-mère me soigne, me fait boire un peu d'eau sucrée, remonte mes couvertures, me donne mon jouet favori, me raconte une histoire.

« Raconte-moi une histoire. »

Ma demande ne semble pas la surprendre et sans me lâcher la main elle me raconte cette histoire que j'aimais beaucoup, bien que me faisant peur et pleurer : *Peau d'Ane*.

Quand j'ouvre les yeux, elle est là, un bol de bouillon fumant à la main.

« Bois, ça te fera du bien. »

Je m'assieds péniblement, la lumière a changé, on dirait la fin de l'après-midi.

« Il est six heures, tu as dormi toute la journée. »

J'ai mal partout, mais je me sens bien, en sécurité. Ils ne viendront pas me chercher là. On ne peut pas arracher une petite fille à sa grand-mère.

Je me rendors, un sourire aux lèvres.

J'apprends, le lendemain à mon réveil, que Mélie est venue me demander plusieurs fois. Grand-mère l'a renvoyée en lui disant que j'étais malade.

Un coup de sonnette à la porte d'entrée, je suis sûre que c'est elle.

« Mélie, monte, je suis dans ma chambre. »

Bougonnante, grand-mère la laisse monter. Mélie n'est pas seule, Jeanine est avec elle.

« Va-t'en. J'ai dit que je ne voulais plus jamais te voir, toi et les autres.

— Ne fais pas l'idiote, je regrette ce que j'ai dit l'autre jour, j'étais en colère devant ton insouciance. Tu ne sembles pas te rendre compte que c'est sérieux cette histoire. »

Je hausse les épaules.

« Je ne plaisante pas. La lecture de ton cahier les a rendu hystériques. Pour quelle raison, je ne vois pas très bien, mais, d'après ce qu'on a raconté à ma mère, il y aurait dedans toutes les histoires de fesses de la ville.

— Toutes. C'est très exagéré ! Celles que je connaissais ou dont j'avais entendu parler. Mais le tout à mots couverts, presque en code, rien que tout le monde ne sache.

— Peut-être, mais de les savoir écrites ou lues par d'autres, cela les rend enragés. D'autant que le récit de tes amours avec Mélie paraît, en comparaison, absolument chaste et romantique. Ce ne sont que promenades au clair de lune, poèmes dits la main dans la main, considération sur l'amour (sentiment) et sa durée. Bref, des amours de collégienne. Pas de quoi fouetter un chat. Sais-tu comment cela s'est passé entre ta mère et celle d'Alain ?

152

— Maman est partie accompagner papa à Paris, elle ne m'a rien dit. »

Mélie me caresse le visage, me donne de petits baisers.

« Comme tu es pâle, mon chéri. Que tu as l'air fatiguée !

— C'est vrai que tu n'as pas bonne mine. Tu as besoin de prendre l'air. On va pique-niquer sur les bords de la Gartempe, on pêchera, on se baignera, cela te fera du bien. Ta grand-mère est d'accord, si tu te sens assez forte. Les autres sont devant la porte avec les paniers. On n'attend plus que toi. »

Cela me fait plaisir qu'ils aient pensé à moi. Je me sens déjà moins fatiguée. Je fais une toilette sommaire, l'eau de la rivière me lavera. J'enfile un maillot, un short et une vieille chemisette rouge que j'aime bien. J'embrasse grand-mère au vol. Elle m'arrête et m'oblige à boire un bol de café.

« Tu ne vas pas sortir le ventre vide. »

Les autres sont là, l'air un peu penauds. Je les embrasse, ce qui provoque des cris de joie. Ils se sont occupés de mon vélo.

« Tiens, me dit Francis en me tendant un livre. L'Arsène Lupin que j'avais promis de te prêter. »

A ce geste, je comprends que nous sommes réconciliés. Je mets le livre dans une des sacoches de mon vélo et la petite troupe démarre en chantant sous l'œil presque indulgent de grand-mère.

JE suis morte, quelle bonne journée nous avons passée. Heureusement que l'endroit prévu pour le pique-nique n'était pas trop loin, sinon, je n'aurais jamais pu y arriver. Je devais avoir l'air bien fatigué pour que les autres s'occupent de moi avec cette gentillesse, ces attentions que je ne leur connaissais pas. Je me suis endormie très vite à l'ombre d'un vieux chêne, la tête appuyée sur leurs vêtements. Au réveil, je me suis sentie si bien que je suis allée me baigner. Quels cris, quels rires dans l'eau transparente et fraîche de la Gartempe, malgré Jeanine qui prétendait que l'on faisait fuir les poissons. Ce devait être vrai car pas la moindre ablette, le plus petit goujon, ni même un poisson-chat ne vint mordre à nos hameçons.

Ce n'est que tard dans l'après-midi que nous reprîmes la route de Montmorillon.

Le surlendemain fut également une journée douce et tranquille. Personne ne me parla de l'histoire, du cahier, des gendarmes ni autres choses désagréables. Les heures coulaient sans heurts. Il y avait longtemps que nous n'avions connu entre nous une telle harmonie. Cependant, le soir, dans mon lit, un grand froid me saisit et je m'endormis en larmes.

Maman est revenue, elle a l'air las et triste. Dans l'après-midi, quelqu'un dépose un pli de la supérieure de l'institution Saint-M. dans lequel elle demande à maman de venir la voir dans les plus brefs délais.

Maman me tend la lettre. Nous nous regardons sans mot dire. Nous pensons toutes les deux à la même chose.

Je m'arme de courage pour lui demander :

« Quel a été le résultat de ta visite à la mère d'Alain ? »

Elle secoue la tête d'un air découragé, les yeux soudain emplis de larmes.

« Tu avais raison. Cela a été inutile et humiliant. Elle m'a dit que c'était de ma faute si tu étais une mauvaise fille, que je n'avais pas été assez dure avec quelqu'un comme toi, que si tu avais été sa fille... elle est de l'avis de son fils qui souhaite que l'on t'envoie dans une maison de correction pour te corriger et te mater. Alain ne rendra le cahier qu'en présence de sa mère et de moi et seulement si tu promets de ne plus revoir Mélie et de t'amender. »

Un grondement de fureur s'échappe de mes lèvres serrées. L'ordure, l'immonde, mais qu'a-t-il dans le cœur et dans la tête pour s'imaginer que l'on puisse dicter aux autres leur conduite ? Il y a de l'inquisiteur chez lui, du minable. Seul un pauvre type peut avoir ce genre d'attitude. Quelle horreur ! Une folle envie de le tuer s'empare de moi. Dans mon esprit en déroute, mille supplices, mille morts, plus raffinés, plus cruels les uns que les autres, défilent dans mon esprit. Certaines scènes particulièrement effrayantes du *Jardin des Supplices* me reviennent en mémoire. Je vais relire ce livre afin de trouver encore des idées.

« Je vais le tuer.

— Arrête de dire des bêtises. »

MAMAN est revenue de son rendez-vous avec la supérieure, le visage pâle et décomposé. Je ne suis pas allée me baigner avec Mélie et les autres pour attendre le résultat de cette entrevue et aussi pour ne pas avoir l'air de l'abandonner dans cette épreuve dont je prévois l'issue. J'aimerais lui dire que je suis avec elle, qu'elle peut compter sur moi, mais je sens que ce serait mal venu, puisque je suis la responsable de ce qui lui arrive : démarches humiliantes, départ précipité de son mari, propos acerbes tenus par sa mère et ses sœurs me concernant, et, maintenant, cette visite à l'institution Saint-M. Elle monte lourdement l'escalier qui mène à sa chambre. Elle range machinalement son sac et ses gants. Je la suis du regard, n'osant pas parler la première. Elle s'assied sur le lit, l'air tellement accablé, le regard si malheureux, que j'ai du mal à retenir mes larmes.

« Ta sœur et toi, vous êtes renvoyées de l'institution. »

Cela ne me surprend pas, je m'attendais à être renvoyée, mais Catherine, je ne comprends pas.

« Mais pourquoi Catherine ?

— Elles ne veulent pas de la sœur d'une fille comme toi, disant que le mauvais exemple que tu lui as donné est suffisant pour la pervertir. Que de toute façon, après le scandale fait autour de toi, elles ne peuvent recevoir personne de la famille. Et que même si elles faisaient exception pour Catherine, les parents des autres élèves viendraient se plaindre, ce qui, paraît-il, est déjà le cas. La supérieure m'a engagée à te mettre dans un établissement très strict, en dehors du département, car, dit-elle, aucun établissement convenable de la région n'acceptera de te prendre.

— Nous irons au lycée.

— Cela m'étonnerait que la directrice, Mme F..., accepte. Tu sais bien qu'elle ne t'aime pas et qu'elle a tout fait, l'année dernière, pour que Mélie et toi cessiez de vous voir.

— Elle n'a pas le droit de nous refuser.

160

— Tu te trompes, elle en a le droit. Et quand bien même ! Te rends-tu compte de ce que serait ta vie au lycée si tu y entrais contre son gré ? Ce ne serait que punitions et brimades, qui te conduiraient à te révolter, ce qui lui permettrait de te renvoyer. Mais cependant, je vais essayer de vous inscrire au lycée, ta sœur et toi, sans illusion. Il faut maintenant que ton père nous fasse venir très vite là-bas. »

La rentrée est dans moins d'un mois. Cela nous laisse un peu de temps.

« Que t'a-t-elle dit d'autre ? »

Le regard qu'elle me lance est si dur que l'envie de pleurer me reprend.

« Elle m'a dit qu'elle n'était pas surprise de ce qui arrivait, qu'elle avait senti tout de suite chez toi une nature mauvaise et profondément perverse. Que ton caractère était tellement buté, que les religieuses, les unes après les autres, venaient se plaindre de toi, disant qu'elles n'arrivaient à rien avec toi, que non seulement tu étais distraite, paresseuse, menteuse et insolente, mais que tu empêchais tes camarades de travailler, les distrayant par tes pitreries, tes caricatures des professeurs et tes questions hors de propos.

— Ce n'est pas poser une question hors

de propos que de demander une explication sur un texte littéraire ou un théorème. A chacune de mes questions, elles me répondaient : « Vous n'avez qu'à réfléchir, ou faire « attention, ou écouter », quand ce n'était pas : « Sortez, mademoiselle, vous perturbez « le cours. » J'ai passé plus de temps à la porte des cours qu'à l'intérieur de la classe. Et je te jure que la plupart du temps c'était profondément injustifié.

— Peut-être, mais on n'en est plus là. Et de toute façon, ce n'est pas pour cela que tu es renvoyée. D'ailleurs, si elles t'ont gardée si longtemps c'est par estime pour nous et surtout pour ta grand-mère : « Une femme si « convenable, si courageuse. »

— Oh ! la barbe, grand-mère, toujours grand-mère !

— Je t'interdis de parler de cette façon de ta grand-mère. Toute cette histoire la rend malade. Avec tes tantes, elles m'ont dit...

— Je me fous de ce qu'elles ont dit. Elles ne pensent qu'à elles, qu'au qu'en-dira-t'on : que va dire Mme Untel et Mlle telle autre, qui va en parler en prenant le thé chez Mme X..., qui hochera la tête d'un air « je vous l'avais bien dit » ; toutes ces vieilles pies qui ne pensent qu'à dire du mal de leur voisin. Jamais une parole gentille, jamais un geste amical. Je pourrais bien crever sous leurs yeux, qu'elles ne feraient rien. Elles détestent tout ce qui est jeune, nouveau, gai. Pas une pour dire : « Pauvre petite ! » car, dans toute cette histoire, qui pense à moi, à ce que j'éprouve ? Qui m'aide à comprendre ce qui arrive ? Qui m'explique pourquoi vous êtes si tordus, vous, les adultes ? Pourquoi vous compliquez tout ? Pourquoi vous salissez l'amour des autres ? Pourquoi tout devient-il laid, petit, quand vous en parlez ? Je ne veux pas vous ressembler, c'est affreux de vous ressembler. »

Je me jette en pleurant sur le lit, le martelant de mes poings. Maman me relève brutalement, le visage encore plus pâle et dur, si dur.

« Peut-être n'est-on pas très beaux, ni très intelligents, ni très bons, ni très charitables. Mais crois-tu que la vie soit une chose si facile ? Tu verras ce que deviendront tes grands sentiments et tes belles paroles. Tu seras bien obligée de plier, comme les autres.

— NON, NON, NON ! mes hurlements emplissent la maison. Oh ! non , plutôt mourir ! Je ne veux pas de votre vie. »

Une paire de claques arrête mes cris.

Je monte, abattue et rompue, au grenier.

Je vais dans mon armoire secrète chercher la bouteille de liqueur verte que j'ai confectionnée d'après les conseils de mon oncle Jean. Je dis que c'est de l'absinthe, ce n'est pas vrai et cela n'en a pas le goût, mais c'est très fort, très sucré et très parfumé. Je bois de longues gorgées à la bouteille. Je tousse, je m'étrangle, mais je vide la bouteille. Je m'écroule sur le lit-cage et je m'endors en compagnie de dragons de toutes sortes et de toutes les couleurs. Quand je me réveille, il fait nuit depuis longtemps. Un grondement de tonnerre me fait sursauter. Oh! que j'ai mal à la tête! Je me lève à tâtons dans le noir. Un éclair illumine le grenier, faisant surgir des ombres fantomatiques. J'ai la bouche pâteuse et vaguement mal au cœur. Je me traîne péniblement vers la porte. Il y a de la lumière dans l'escalier. La porte de la chambre de maman est entrouverte. Je la pousse, elle est assise dans son lit, un livre ouvert devant elle. Je m'approche, elle s'est endormie. Comme elle est jolie ainsi! Je dépose un baiser léger sur sa joue, je remonte ses couvertures et j'éteins la lumière. Elle n'a pas bougé, ne s'est pas réveillée. Elle qui a le sommeil si léger, comme elle doit être lasse. Je descends à la cuisine boire un verre d'eau. Hormis l'orage qui s'éloigne et la pluie qui tombe à grosses gouttes molles, il n'y a aucun bruit ni dans la maison ni dans la rue. Je prends au portemanteau le vieil imperméable de maman, j'enfile mes bottes de caoutchouc et je sors dans la nuit. Tous les réverbères sont éteints — il doit être plus de minuit — la nuit est très noire, je ne distingue rien. Je marche le long des rues en frôlant les murs de la main, pour me guider. J'essaie de me souvenir où les trottoirs s'arrêtent, où il y a des marches. Cette promenade dans l'obscurité, attentive à déjouer les pièges du parcours, me fait du bien. La pluie lave mon mal de tête, je lèche l'eau qui me coule sur le visage et me désaltère de sa fraîcheur. Trois heures sonnent aux clochers de la ville. Comme tout est calme. Pas une lumière. Tout le monde dort. J'aimerais rencontrer quelqu'un qui, comme moi, aime la nuit, la pluie et la solitude, non pour lui parler, cela risquerait de le déranger, mais pour savoir que je ne suis pas seule à déambuler ainsi dans le noir. Cela me rassurerait de me connaître un compagnon. Mais les rues ne résonnent que de mon pas. Nul n'est assez fou ou assez malheureux pour chercher l'apaisement dans cette nuit pluvieuse de la fin de l'été. Quatre heures sonnent. Je suis fatiguée et j'ai froid. Je continue, cherchant à épuiser mon corps pour calmer mon esprit. Cinq heures sonnent quand j'arrive devant la porte de la maison. Personne ne s'est aperçu de mon absence. J'accroche l'imperméable sous lequel se forme immédiatement une flaque d'eau qui va s'élargissant. J'ôte mes bottes dans un grand bruit mouillé. Dans ma chambre, je me déshabille dans le noir et me couche en grelottant. Je me sens bien, terriblement lointaine, indifférente. Que m'importe ce qui m'attend. « Demain est un autre jour. » Je m'endors sur cette pensée. Oui, demain est un autre jour.

En ouvrant les volets, je suis saisie par la pureté de l'air dont la fraîcheur baigne mes yeux d'une douceur qui efface les mauvais rêves de la nuit. Je sens un léger picotement en respirant. Je ne me suis pas trompée, l'automne est là avec ses matins frais où la brume, comme un voile déchiré, flotte au-dessus des champs, semble s'accrocher aux branches des arbres, rendant irréels et vaguement maléfiques les abords des étangs. C'est la saison où en une nuit surgissent de petits champignons bruns, roses, jaunes et blancs, où les colchiques donnent une teinte funèbre aux prés emperlés de rosée, où la campagne retentit des coups de fusil des chasseurs et des aboiements de leurs chiens. Plus que toute autre saison, l'automne est celle qui me convient, que j'attends et que je redoute, et dont je sens les mouvements secrets de pourriture, de vie souterraine, de mise en attente, jusqu'au plus profond de mon corps. L'automne a sur moi un effet stimulant. Il me semble que je cours plus vite, que je comprends mieux (c'est sans doute pour ça que le mois d'octobre est le seul mois de l'année où je travaille bien et où je n'ai pas de mauvaises notes, malgré le déplaisir que me cause la rentrée des classes), que mon corps et mon intelligence sont dans la plus complète harmonie avec la nature.

J'aimerais mourir à l'automne et que mon corps enfoui à même la terre humide et encore chaude du soleil de l'été se décompose rapidement, participant ainsi à l'énorme travail de pourrissement qui accompagne tout renouveau.

Malgré mon manque de sommeil et les courbatures occasionnées par la pluie, je me sens prête à attaquer le monde, à faire face aux jours qui s'annoncent difficiles.

C'est en chantonnant que je m'habille, que je descends prendre mon petit déjeuner.

« Tu as l'air bien gaie, ce matin », dit grand-mère en m'embrassant sur le front.

Je la prends par la taille et je la fais tourner en riant.

« Arrête ! petite folle, tu vas me faire tomber. Arrête ! »

Ses yeux sont rieurs et inquiets. J'arrête ma danse et je l'assieds sur la chaise la plus proche. Nous nous regardons, essoufflées et souriantes. Ce serait bien si tous les matins ressemblaient à celui-là.

J'avale mon café — réchauffé, hélas ! — et je me précipite dans la rue.

Il fait beaucoup plus frais que ces derniers jours. J'ai bien fait de prendre un cardigan.

Il est onze heures quand j'arrive chez Mélie. Je suis accueillie par le visage renfrogné de Françoise, l'œil réprobateur de la mère de Mélie, et celui, curieux, de la bonne. Elles répondent à peine à mon bonjour. Bah ! ce ne sont pas leurs tristes figures qui vont gâter ma belle humeur ! Je monte quatre à quatre l'escalier.

Ils sont tous là dans la chambre de Mélie avec des figures longues, mais longues... que mon claironnant et joyeux : « Bonjour tout le monde ! » semble, si cela était possible, renfrogner davantage.

Toute à mon bonheur de vivre une si belle matinée, je leur lance quelques plaisanteries, dans l'espoir de les voir se dérider. En vain. Devant leur mutisme boudeur, je m'arrête, vaguement inquiète.

« Mais enfin, qu'avez-vous ? Que se passe-t-il »

Ils explosent tous en même temps, ce qui rend incompréhensible ce qu'ils disent. C'est Jeanine qui réussit à rétablir le silence.

« Elle est folle, c'est elle qui nous demande ce qui se passe ! On ne parle que d'elle en ville et elle demande ce qui se passe ! Non seulement à tous les coins de rue les bonnes femmes ne parlent que de ton renvoi de l'institution, mais aussi de la lecture que Alain va faire de ton cahier au café du Commerce cet après-midi. »

Le ciel me semble soudain moins lumineux. Un grand froid, ponctué par les battements de mon cœur, m'enveloppe. Je serre l'une contre l'autre mes mains devenues glacées, un miroir en face de moi me montre l'image d'un visage comme pâli par ce froid soudain.

Mélie se pend à mon cou, disant qu'elle n'en peut plus, que tout cela doit se terminer. Je l'écarte doucement et je m'allonge sur le lit, les yeux grands ouverts, fixant le plafond. Je réfléchis à ce que je viens d'entendre. Que l'on parle de mon renvoi ne m'étonne pas, mais ce qui me trouble le plus c'est cette lecture publique du cahier. Je pense qu'il y a une seule chose à faire.

« J'irai cet après-midi au café du Commerce chercher mon cahier. »

Un lourd silence emplit la chambre. C'est Jeanine qui le rompt :

« Je crois que tu as raison, mais fais attention à toi. »

Mélie dit qu'elle ne veut pas que j'aille là-bas, qu'ils vont me battre, me faire du mal, que je serai seule, que personne ne voudra m'accompagner... Ça, je le sais, et je le préfère. Leurs présences, celle de Mélie surtout, compliqueraient les choses et me laisseraient moins libre de mes gestes et de mes propos. J'apprends que la lecture est prévue pour quatre heures. J'y serai. J'embrasse Mélie, qui essaie de me retenir. Je n'ai qu'une envie : être seule. Je lui promets de venir la voir après.

Je remonte vers la maison en traînant les pieds tant mon corps me paraît lourd. Il me semble que chaque personne croisée me regarde d'un drôle d'air, que les gens s'arrê-

tent de parler quand je passe auprès d'eux.
J'essaie de me dire que c'est un effet de mon
imagination, que je vois des ennemis partout, que je suis atteinte du délire de la per-
sécution, que cette histoire me rend folle...
Aïe ! je viens de recevoir une pierre sur
la tête. Surprise, je m'arrête et je regarde
autour de moi d'où cette pierre a pu tomber
et je ne vois qu'un gamin qui se sauve en
riant. Je repars en haussant les épaules. Une
autre pierre m'atteint dans le dos. Cette fois,
je comprends, c'est délibérément que l'on
me jette des pierres. Je me baisse et j'en
ramasse deux ou trois, pas très grosses,
hélas ! et je me retourne, prête à me battre.
Les gamins sont maintenant quatre ou cinq
qui me lancent des pierres en criant : « Oh !
la tigresse !, oh ! la tigresse ! » Une rage folle
m'envahit, j'en attrape un par les cheveux et
lui envoie un coup de pied dans le ventre.
Il réussit à m'échapper et revient à la
charge avec ses petits camarades. De grandes
personnes nous regardent en ricanant. Pas
une n'intervient, même quand une pierre
plus tranchante me coupe la joue et me fait
saigner. Une autre à l'arête du nez m'as-
somme presque. Ils en profitent pour se
précipiter sur moi en me bourrant de coups
de pied et de coups de poing. Je griffe, je

172

mords, je fais mal. Maintenant, je n'ai plus peur, je sais me battre et chacun de mes coups porte. Je préfère cependant abandonner quand je vois les grandes personnes, jusque-là spectatrices, s'approcher de nous. D'elles, j'ai peur. Elles ont le visage de mes cauchemars d'enfant. Visages entrevus à la Libération, visages de haine que je n'ai jamais pu oublier. Je me sauve en courant sous les cris et les injures :

« Putain, salope, ordure, putain, salope, ordure ! »

Avec le chœur des voix aiguës des gamins :

« Tigresse, oh ! la tigresse... ! »

J'arrive, à bout de souffle, à la maison. Grand-mère pousse des exclamations confuses. Maman, sans un mot, s'empresse de me laver le visage et de m'examiner la tête à la recherche d'une autre blessure. Je me laisse panser et déshabiller. Ma robe est déchirée à plusieurs endroits, j'ai le dos, les bras et les jambes couverts de bleus et d'égratignures. Maman me fait couler un bain, je me lave la tête, malgré les difficultés que j'ai à lever les bras et les picotements désagréables que fait le shampooing sur mon cuir chevelu endolori. Une fois propre, je me sens mieux. Je m'enveloppe dans ma vieille robe de chambre et je demande à ne pas descendre déjeuner. Maman accepte à la condition que je boirai un peu du bouillon de la veille. Je me regarde dans la glace. Ah ! ils m'ont bien arrangée. Moi qui voulais être séduisante pour le rendez-vous de l'après-midi, c'est plutôt raté. Au-dessus du pansement de ma joue, mon œil vire au bleu, une grande balafre part de mon nez jusque dans mes cheveux et tout ça dans un visage pâle à faire peur.

Je bois mon bouillon à petites gorgées, sous le regard triste et inquiet de maman. Je lui raconte la bagarre en la minimisant. Elle a bien assez de soucis comme ça, pour craindre que je sois assommée à chaque coin de rue. Elle secoue la tête d'un air découragé. Je ferme les yeux.

Ma joue me fait mal. Je n'arrive pas à réfléchir. J'essaie de lire, les lignes dansent devant mes yeux. Je m'endors.

Je me réveille en sursaut. Trois heures et demi déjà. J'ai juste le temps de m'habiller. Une migraine effrayante me donne des nausées, je prends des cachets que j'avale en faisant la grimace. Je brosse mes cheveux encore humides. Comme ils sont doux et brillants. Heureusement, car le reste n'est guère attrayant. La balafre est plus apparente que tout à l'heure et mon œil est maintenant bleu foncé et à moitié fermé. Je mets une jolie robe. Mais à quoi bon ? Moi qui comptais tant sur mon charme pour les convaincre de me rendre le cahier et d'arrêter de me chercher noise. Je sais cependant que je dois y aller, que, quoi qu'il arrive, il est important pour moi de faire cette démarche.

Je croise maman dans l'escalier, elle ne cherche pas à me retenir. Elle ne me demande pas non plus où je vais, elle se contente de me regarder tristement.

La matinée a tenu ses promesses, il fait un temps splendide, chaud et doux en même temps. Pas un nuage ne ternit le bleu absolu du ciel. Seules les cabrioles des hirondelles le marquent d'éphémères traits noirs.

Les rues sont presque désertes.

Il y a beaucoup de monde au café du Commerce, mais cependant moins que je le craignais, uniquement des hommes, jeunes pour la plupart, excepté la mère d'Alain, assise à côté de son fils, très droite, lèvres pincées.

En entrant, j'entends des exclamations diverses :

« Il n'y a pas de quoi fouetter un chat.

— On ne doit pas s'ennuyer avec une petite garce pareille.

— Des histoires de mômes.

— Ça ne valait pas le déplacement.

— Elle est précoce la fille. »

Je suis là, les bras ballants, dans l'entrée du café. Il me semble que les battements de mon cœur font un tel bruit qu'ils couvrent ceux de la salle.

C'est la mère d'Alain qui me voit la première et me désigne du doigt. Le silence remplace le brouhaha. Alain se lève à moitié et retombe lourdement assis sur sa chaise. Manifestement, personne ne s'attendait à ma venue. J'arrache péniblement chacun de mes pieds au sol. Marcher me demande un effort de volonté tel que le temps s'abolit. Je me déplace dans un ralenti ponctué seulement par le choc de mon cœur. Mon sang circule à une vitesse folle, me donnant des vertiges qui accentuent mes maux de tête. Je serre les dents pour ne pas gémir. Je ne sais plus où je suis, un bourdonnement immense m'emplit les oreilles. De chaque côté de moi se dresse comme un mur de brouillard. Je ne perçois distinctement que la table sur laquelle repose le cahier, ouvert. J'ai l'impression qu'il m'appelle, me tire à lui. Chacun des mots écrits émet un petit signal comme pour me prouver qu'il est bien là, bien à moi, et que je suis seule à pouvoir en disposer à ma guise. Comme c'est long d'arriver jusqu'à eux, je dois écarter les mauvaises pensées des autres, me battre contre leurs mots de haine et de colère. Je suis si lasse que le désir de laisser là mes propres mots devient de plus en plus grand. « Tu n'en as pas le droit, disent-ils, tu es responsable de nous, c'est toi qui nous as fait naître, qui, en nous assemblant de cette manière, nous as mis dans cette situation. Il ne nous plaît pas d'être lus par n'importe qui, puisque tu n'écrivais que pour toi-même. Nous avons été témoin de tes larmes, certains d'entre nous en portent encore la trace, d'autres sont à moitié effacés. Nous t'avons donné aussi bien de la joie, même si quelquefois tu nous employais improprement ou nous donnais une tournure bizarre par une orthographe par trop fantaisiste. Tu avais un goût peut-être trop marqué pour le côté pompeux, ronflant, un peu cuistre, de quelques-uns d'entre nous. Mais cela t'aurait passé avec le temps. Courage, tu as déjà fait la moitié du chemin. Ne nous abandonne pas. Tu verras, nous t'aiderons. Grâce à nous, tu pourras exprimer la beauté de ce jour et la souffrance, la peur, la honte, que tu éprouves en ce moment. Nous te consolerons. Car écrire, si difficile que cela soit, t'apportera, sinon le succès, du moins la paix avec toi-même. Ce sera, peut-être, ton seul moyen de communiquer avec les autres, de faire qu'ils te comprennent et t'aiment telle que tu es. Tu trouveras ta transparence dans l'écriture, même si, devant la feuille blanche, tu ne vois que l'opacité du papier et le brouillard de ta pensée. Ne nous abandonne pas dans ce cahier, car il te faudra trop longtemps pour nous oublier et jusqu'à ce que tu réussisses à nous faire revivre, toute ta vie, consciente ou non, sera tournée vers nous. Il est important pour toi, aujourd'hui, de nous assumer entièrement. »

« Je suis venue chercher le cahier que tu m'as volé. »

J'attrape le cahier et le serre contre moi. Je ne vois pas celui qui me l'arrache des mains, car une gifle m'a fait fermer les yeux. Ma tête me fait tellement mal que je m'assieds en gémissant. J'arrive à rouvrir les yeux malgré la douleur qui me les ferme. En m'appuyant sur la table, je parviens à me relever. Je tourne le dos à Alain et à sa mère et je regarde ces hommes. Certains baissent la tête, d'autres détournent leur visage. Si je n'étais si fatiguée, j'irais vers chacun d'eux, les forçant à me regarder, peut-être alors comprendraient-ils la méchanceté stupide de leur attitude. Une voix me souffle :

« Pleure, demande-leur pardon, dis que tu ne savais pas, que tu ne te rendais pas compte. »

Une autre voix me crie :

« Jamais ! »

J'arrive à prononcer à peu près intelligiblement :

« Je veux ce cahier, il m'appartient ! »

Je sens comme un flottement dans l'assemblée, mais la mère d'Alain se lève :

« Ne vous laissez pas impressionner par l'apparence de cette fille, par sa mine pâle, par ses écorchures, tout en elle est mauvais, ainsi que le disent les sœurs de l'institution et l'abbé C... Il faut lui donner une leçon, car elle est un exemple dangereux pour nos enfants... »

Je n'entends pas la suite, je suis comme devenue sourde, je ne vois que le trou de sa bouche, qui se déforme sous la pression des mots de haine. Je me détourne en haussant les épaules et je sors du café, sans doute portée par les anges.

C'est Yves qui me découvrira, tard dans la soirée, allongée de tout mon long au fond d'un fossé, ayant ramené sur moi les herbes et les brindilles, arrachées au talus pour mieux me cacher aux regards. C'est en pleurant qu'il m'aidera à me relever, à marcher, et me reconduira à la maison. Nous croisons des voisines, pas une n'aura un geste de compassion. Cette indifférence me fait plus mal que le reste.

Maman et Catherine éclatent en larmes quand elles me voient. Maman m'assied, me fait boire un liquide chaud, brosse mes cheveux pleins de terre et d'herbe. Elle pousse Yves dehors. Je vois bien qu'elle me parle, mais je ne comprends pas les mots qu'elle dit. J'essaie de lui sourire, cela redouble ses larmes. Elle me prend par la main et m'emmène dans ma chambre. Je la laisse me déshabiller, comme dans un brouillard. Elle me tend un cachet et un verre d'eau. Je les avale. Elle m'enfile ma chemise de nuit, me couche, remonte les couvertures, me passe la main sur le front. Je lui souris. Elle me ferme les yeux. C'est beaucoup mieux. Je suis bien dans le noir.

JE suis restée plusieurs jours au lit, sans force, presque sans parler. Mélie est venue me voir chaque jour, m'apportant les friandises que j'aime et que je repousse écœurée. Le docteur Martin m'a donné des fortifiants.

« Vous devriez envoyer cette petite chez des amis, cela ne lui vaut rien de rester ici. »

Maman lui a répondu qu'elle n'avait ni amis ni parents qui puissent me recevoir.

Il est parti en haussant les épaules d'un air de dire : « Que le destin s'accomplisse ! »

Aujourd'hui, je me sens un peu plus forte, je me suis levée et j'ai fait le tour du pâté de maisons. Dans l'après-midi, nous avons joué au Monopoly, Mélie et moi. J'ai gagné. Elle m'a raconté les derniers événements : le départ pour Paris de Jeanine, qui a chargé Mélie de me dire au revoir, sa mère lui ayant interdit de venir me faire ses adieux. On a beaucoup parlé de ce qui s'est passé au café. Certains pensent que les choses ont été suffisamment loin maintenant, et que l'on doit me laisser tranquille, mais Alain et sa mère pensent autrement. Elle m'apprend également que la directrice du lycée a refusé de nous recevoir ma sœur et moi malgré l'intervention de son père. Les larmes me viennent aux yeux. Certes, je m'y attendais, mais cela m'est encore plus pénible que je ne le pensais. Je me prends à regretter furieusement l'école, d'autant que je sais que mes parents n'ont pas les moyens de nous mettre en pension. Comment vais-je apprendre tout ce que je ne sais pas ? Mélie me console en me disant qu'elle me donnera ses cours, que nous travaillerons ensemble.

J'acquiesce pour lui faire plaisir, mais je sais que cela ne sera pas possible.

Maman vient nous dire qu'il est bientôt l'heure de dîner. Mélie m'embrasse et s'en va. Maman s'assied sur le lit et me regarde longuement.

« Je vois que tu vas mieux. Je suis allée voir aujourd'hui la mère d'Alain...

— Oh ! non.

— Laisse-moi continuer. Ils acceptent de te rendre le cahier à certaines conditions : que tu le détruises devant eux et devant moi ainsi que les autres qui sont cachés au grenier, et que tu promettes de ne plus voir Mélie. Je leur ai dit que tu ferais ce qu'ils demandent. »

Le NON ! que je hurle est si fort qu'il m'arrache la gorge, dont je souffrirai durant trois ou quatre jours.

Une sueur froide m'envahit de la tête aux pieds, j'ai si froid que je claque des dents. Maman me tend un verre d'eau. Je retombe au fond de mon lit, appelant la mort de toutes mes forces.

Catherine me monte mon dîner, je ne peux rien manger. J'arrive à grand-peine à avaler la tisane et le cachet que me donne grand-mère. Heureusement, je m'endors très vite.

Le lendemain, maman me dit que la remise du cahier est prévue pour vendredi matin, c'est-à-dire dans deux jours. Je ne dis rien, je sens que je souris vaguement. Je m'habille.

« Mets un vêtement chaud, il fait froid ce matin. »

J'enfile mon vieux pantalon de flanelle grise, des chaussettes de tennis, mes baskets et le gros pull jacquard que je me suis tricoté l'hiver dernier. Tout en me brossant les cheveux, je me regarde dans la glace. A part de profonds cernes sous les yeux et une balafre plus claire en travers du front, je n'ai pas trop mauvaise mine, je me trouve même plutôt jolie.

La fraîcheur de l'air me surprend. C'est normal, on est bientôt au mois d'octobre. J'ai peur de descendre en ville. Je ne me sens pas assez forte pour affronter les regards. Je me dirige vers l'Allochon, Néchaud, des coins que j'aime bien. Je suis bientôt obligée de m'arrêter tant je suis fatiguée et essoufflée. Je m'assieds sur le bord du chemin, m'efforçant à penser à tout autre chose qu'à cette histoire de cahier. Je n'y arrive pas. Sans cesse, mes pensées me ramènent à cette horrible matinée où je vais devoir m'humilier.

Je reviens à la maison, épuisée. Je me couche sans pouvoir manger.

Dans l'après-midi, je vais chez Mélie, en passant par les rues les moins fréquentées. Elle est seule dans sa chambre, en train de lire. Nous nous embrassons tristement. Je lui fais part du rendez-vous de vendredi. Elle me dit que c'est mieux comme ça. Je la regarde sans comprendre.

« Mais, je ne te verrai plus ? C'est cela que ça signifie.

— Cela ne durera qu'un temps. Le temps pour les gens d'oublier cette histoire. Après, on se reverra comme avant. L'essentiel, c'est que nous nous aimions toujours », dit-elle en se jetant contre moi.

Sans doute a-t-elle raison, mais je ne suis pas convaincue.

Je la laisse me déshabiller, mordiller mes seins, me caresser, dans la plus complète indifférence. Mon corps est comme mort. Ni sa langue, ni ses doigts ne pourront plus jamais le réveiller. Je la repousse doucement. Elle me regarde étonnée, avec un grand doute au fond de ses yeux bleus. Je me rhabille malgré ses pourquoi et bientôt ses larmes. Pauvre Mélie. Il me semble qu'un grand fossé s'élargit entre nous. Je lui propose une partie de rami. Elle est telle-

ment joueuse que cela la console rapidement. Je rentre à la maison assez tôt. J'ai
envie d'écrire. Je vais chercher un cahier.
Mais, brusquement, devant le papier fine-
ment ligné, une peur immense m'envahit.
J'essaie de la maîtriser, rien n'y fait, même
ma main se refuse à tenir le stylo, mon bras
droit est si raide que si on le touchait
maintenant il casserait. Je m'écroule en
pleurant sur le cahier vierge et désormais
inutile. Je comprends qu'il faudra longtemps, des années peut-être, avant que je
puisse à nouveau écrire. Je viens de perdre
l'unique recours contre la solitude, la peur
et l'angoisse. A qui parler dorénavant, à qui
me confier ? Je suis seule, tout à fait seule,
murée dans un silence qui, pour n'être pas
total, n'en est pas moins absolu.

JE n'ai presque pas dormi de la nuit, tant une peur molle et envahissante me tenait éveillée. Je me lève péniblement, j'ai mal au cœur et au ventre. J'ai une tête à faire peur. Maman non plus n'a pas bonne mine. Sa nuit a dû être aussi mauvaise que la mienne. J'ai envie qu'elle me prenne dans ses bras, qu'elle me console. Mais son regard dur et froid, son visage fermé arrêtent tout élan. Je ne sais pas si grand-mère est au courant de ce qui se passe ; elle me regarde avec une tristesse attendrie. J'erre dans la maison, le cœur battant à tout rompre sans autre raison que la peur de l'heure fatidique. Je me réfugie dans le grenier pour essayer de me concentrer, de calmer l'horreur qui monte en moi. Je ronge furieusement mes ongles. Je me mets à genoux, essayant de prier. Mais pas un mot de prière n'arrive à mes lèvres, pas même à mon cerveau. C'est le plus complet blocage. Je suis comme enfermée à l'intérieur de moi, je voudrais crier. J'enrage de mon impuissance. Tout en moi hurle, pleure, gémit, demande grâce. Rien, sauf une certaine fébrilité, ne trahit le drame que je vis. Une brutale envie de fuir m'envahit, bientôt submergée par des images de gendarmes, de prison, de foule hurlante. J'ai peur, une peur hideuse, avilissante, irrépressible. Je suis comme un animal à la curée, où que je me tourne, je ne vois que visages grimaçants, regards hostiles, gestes brutaux. Mes mains sont tour à tour brûlantes et glacées. Je donnerais tout, ma vie même, pour ne pas être seule en ce moment.

« Mélie, Mélie ! Viens, ne me laisse pas seule. C'est maintenant que j'ai besoin de toi. Nous devrions les affronter ensemble puisque c'est notre amour qui nous est reproché. Je suis abandonnée, même de toi. »

Je m'efforce de ne pas pleurer. Je ne veux pas qu'ils voient que j'ai pleuré.

Je compte les minutes qui s'écoulent. Jamais le temps n'a passé si lentement, et cependant, je voudrais l'arrêter. Chaque bruit de porte me fait sursauter, un goût de bile me monte aux lèvres.

Un tintement de sonnette brutal, je sais que ce sont eux. Un long moment s'écoule, me semble-t-il, avant que maman m'appelle.

« Léone ! descends ! »

A chaque marche je crains de tomber, je me tiens à la rampe des deux mains. Seul un condamné à mort doit éprouver une terreur pareille à celle que je ressens.

La porte de la pièce où ils se trouvent est entrouverte. Pas un bruit. Ils ne parlent pas. Ils m'attendent.

Au prix d'un immense effort, je pousse la porte et j'entre. Ils sont tous les trois assis autour de la table de la triste salle à manger. Les lumières sont allumées, ce qui me fait remarquer que le temps est sombre et qu'il pleut. Un joli feu brûle dans le poêle à bois, ce qui me surprend, car il ne fait pas froid.

La mère d'Alain me regarde avec dureté ; lui semble, pour la première fois, gêné, mais cela ne va pas durer. Maman est très pâle, elle serre convulsivement ses mains l'une contre l'autre. Ses yeux sont rouges. Elle a pleuré.

« C'est uniquement parce que nous avons pitié de votre pauvre maman que nous vous rendons ce cahier et que nous avons sa promesse que vous ne reverrez plus cette fille et que vous quitterez bientôt le pays. Vous êtes une honte pour votre famille, vous ne méritez pas notre bonté. » ....

....

Je n'entends plus, mais, à ma grande honte, les larmes coulent le long de mes joues.

« Tiens, déchire toi-même ce cahier et brûle-le », me dit Alain en me le tendant.

Je recule. Oh ! non, pas moi ! Je me retourne vers maman, l'implorant du regard. Elle détourne la tête, les yeux pleins de larmes.

« Allez, déchire ces ordures, brûle-les, qu'elles ne salissent plus personne ! »

Mes larmes redoublent.

« Mais avant, va chercher les autres cahiers.

— Quels autres ? Il n'y en a pas d'autres ! »

Il se lève brutalement, pâle de colère contenue.

« Ne m'oblige pas à aller les chercher, je sais où ils sont. »

Je suis sûre que là, maman va intervenir, les mettre à la porte. Non, elle me fait signe d'obéir. Ce n'est pas possible, elle va leur dire de me laisser tranquille, de ne plus se mêler de nos affaires. Elle ne bouge pas, accablée. Je sens monter en moi une colère qui m'étouffe.

« Salauds ! Salauds ! »

Une paire de claques de maman calme mes cris.

« Ça suffit ! Monte ! »

J'ai envie de la tuer.

« Obéis, monte !

— Mais avant, jure de ne plus voir Mélie, de ne plus avoir de relations contre nature avec elle. Jure, sinon, je remporte le cahier, menace Alain.

— Non, tu n'as pas le droit. Pas ça !

— Je t'en prie, Léone, fais ce qu'il te demande.

— Jure, JURE.

— Je le jure.

— Tu jures quoi ?

— Que je ne verrai plus Mélie. »

Mes larmes redoublent. J'ai mal, j'ai si mal.

« Très bien ! maintenant, va chercher les autres cahiers. »

Je monte quatre à quatre les deux étages.

J'arrache les cahiers à leur dérisoire cachette. Je redescends tout aussi vite, pressée d'en finir. Je jette les cahiers sur la table. L'un d'eux tombe.

« Ramasse-le », dit Alain.

J'étouffe en moi un mouvement de révolte, et sans attendre un nouvel ordre, j'entreprends de déchirer les cahiers. Les couvertures en carton sont dures à arracher, des photos, des pétales de fleurs séchées, des articles de journaux, des images pieuses s'échappent des pages ; rageusement, je les déchire aussi. J'ai ouvert la grille du poêle, je jette les feuillets qui se tordent dans les flammes, les mots semblent vouloir sauter du feu mais retombent consumés. A chaque page arrachée et brûlée, c'est un peu de moi qui est blessé ou qui meurt. Malgré moi mes larmes se sont remises à couler. On n'entend que le bruit du papier déchiré et le ronflement des flammes. La dernière feuille mise au feu, je referme lentement la grille comme on doit refermer celle d'un tombeau. Je me recueille, légèrement engourdie par la forte chaleur qui monte du poêle. Je sais, là, maintenant, que jamais, plus jamais, je ne me laisserai humilier. Qu'il faudra que je prenne une revanche éclatante pour oublier. Je pressens aussi, hélas! que j'aurai toujours peur des autres, ce qui me conduira à me montrer dure, frivole, inconstante, pour essayer, malgré ça, d'être quand même aimée d'eux.

Quand je me retourne vers eux, je ne pleure plus et c'est calmement que je leur dis :

« Maintenant, sortez ! »

Ils ne disent rien et me regardent avec une sorte de crainte. Je me sens effrayante de désespoir tranquille, le tisonnier noirci encore à la main.

« Sortez ! »

Ils se lèvent, s'en vont sans mot dire. Je fais signe à maman de s'en aller aussi. Je reste seule. Je m'assieds face aux flammes qui vont diminuant.

DANS les jours qui suivirent, maman me fit tenir ma promesse et m'empêcha de voir Mélie. Curieusement, cela me fut indifférent. Je vivais dans un état d'hibernation mentale et affective qui m'empêchait de souffrir de son absence.

La rentrée des classes avait eu lieu. Quatre fois par jour, les cris, les rires des enfants se rendant à l'école me rappelaient que j'étais désormais exclue à jamais du monde de l'enfance. Les premières semaines, cela ne me dérangea pas. Je restai enfermée dans ma chambre ou au grenier, lisant ou dormant. Je ne voyais les autres habitants de la maison qu'aux heures des repas. L'atmosphère de la maison était tendue et triste. Je m'en rendais compte, mais cela ne me touchait pas. J'étais comme absente. Grand-mère n'osait pas dire ouvertement sa réprobation de nous voir Catherine et moi si totalement inactives. Seul, mon petit frère mettait quelque animation dans la maison.

Le dimanche qui suivit la rentrée des classes, maman exigea que j'aille me promener avec elle pour prendre l'air. La promenade fut morne et silencieuse, par un beau soleil automnal. Je la suivais, traînant les pieds, tête baissée, ne voyant rien de la beauté des bois empourprés de leur mort prochaine. Nous croisâmes peu de monde, maman ayant eu soin de choisir un endroit écarté tant sa honte était grande. Nous n'avions pas échangé dix phrases depuis la destruction du cahier, non que je me sois refusée à la conversation. Mais il y aurait eu trop à dire, ou rien à dire, ce qui revenait au même. Je ne boudais pas, ne pleurais pas, ne parlais pas, j'étais comme assommée, indifférente.

Maman écourta la promenade, visiblement agacée par mon attitude. Arrivée à la maison, après le thé, elle nous proposa une partie de Monopoly. Elle parut surprise de me voir accepter. Je jouai sans goût, mollement. Bien entendu, je perdis, mais cela me fut égal.

L'ennui et la tristesse de ce premier

dimanche de l'année scolaire allait se répéter durant des mois.

Par un bel après-midi ensoleillé et un peu froid, maman accepta que j'aille me promener seule à la condition d'être rentrée avant quatre heures et demie, l'heure à laquelle les écoliers sortaient de classe, afin que je ne puisse rencontrer Mélie. Je rentrai à l'heure dite et pris l'habitude, tous les jours, quel que fût le temps, de faire de longues promenades à travers la campagne. J'obtins également la permission d'aller à vélo, le dimanche, voir ma grand-mère paternelle, qui habitait un hameau à une dizaine de kilomètres.

Si ces promenades me redonnèrent des couleurs, elles entretenaient chez moi une mélancolie accentuée par un automne flamboyant qui se transformait peu à peu, sous mes yeux désolés, en un hiver froid et dépouillé. Les jours de pluie étaient particulièrement sinistres. Je restais des heures durant à l'abri sous un pont ou dans une grange abandonnée, trop transie pour pouvoir lire le roman qui restait enfoui dans la poche de mon imperméable. Je rentrais pâle et grelottante, buvant avec reconnaissance le thé ou le chocolat que m'avait préparé maman.

Mélie passait quatre fois par jour devant la maison pour aller en classe. J'attendais ces moments avec angoisse et le temps passant, avec impatience. Je me levais tôt, le matin, pour l'apercevoir. J'appuyais mon front contre la vitre et j'attendais. Chaque fois, elle levait la tête et marquait un temps d'arrêt. La même chose à onze heures et demie, à une heure et à quatre heures. Un jour, je lui envoyai par la fenêtre un petit billet sur lequel je lui disais que je l'aimais. Nous prîmes l'habitude de communiquer de cette manière. Elle me disait qu'elle ne pouvait pas vivre sans moi, qu'au lycée on la tenait à l'écart et qu'elle était très malheureuse.

Maman s'aperçut assez vite de notre manège, mais n'en dit rien. Sans doute se rendait-elle compte que je ne pouvais rester isolée comme cela.

J'avais repris mes livres de classe, essayant de travailler seule. Je n'y arrivais pas. Je me sentais par moments envahie par la crainte de ne rien savoir, de rester d'une ignorance honteuse. J'allais à la bibliothèque municipale deux fois par semaine faire provision de livres. Je m'attaquai au rayon philosophie, à vrai dire bien réduit, mais la lecture de Spinoza, tout en me plongeant dans de difficiles réflexions, me découragea bien vite. Je découvris les mystiques et trouvai là un aliment à mon spleen. Je vécus durant des semaines dans un état d'exaltation religieuse et sensuelle qui me laissait épuisée, rêvant de l'époux divin et balbutiant les mots passionnés de l'amour céleste. Je dois à Thérèse d'Avila, Jean de la Croix, François de Sales, Thérèse de Lisieux, la solitaire des Roches et la religieuse portugaise, mes plus beaux tourments érotiques.

Devant mon calme, ma soumission, la surveillance de maman se relâcha. Je n'en profitai pas tout de suite, tant la peur visqueuse avait anéanti en moi toute velléité de rébellion. Les jours succédaient aux jours, seulement un peu plus sombres, un peu plus froids. J'allumais, le matin, le poêle à bois de la sinistre pièce où j'avais détruit le cahier. Je haïssais cet endroit, mais c'était le seul de la maison où je puisse me réfugier et être seule. Chaque fois que j'entrais, mon cœur se serrait. Il me fallait en faire le tour, lentement, touchant les objets, redressant un tableau, écartant les rideaux, ou tisonnant le feu pour apaiser mon angoisse. Je m'asseyais devant la table, sous la suspension allumée et je lisais, dessinais ou faisais des patiences. Je tricotais aussi et faisais de la tapisserie. Quelquefois, je caressais le chat. Mais, le plus souvent, je restais immobile dans le noir, le regard fixe devant le feu, seulement éclairée par la lueur dansante des flammes jusqu'à ce que maman ou grand-mère entre dans la pièce et me dise, invariablement :

« Que fais-tu dans le noir ? »

Mon apathie les déconcertait. Je surprenais souvent leur regard songeur sur moi. Cependant, elles ne disaient rien.

Un jour, sans l'avoir prémédité, je ne rentrai pas de ma promenade, j'allai chez Mélie. C'était la première fois que je « descendais en ville », depuis ce que Mélie et moi allions appeler l'histoire.

A cette heure de la journée, il y avait peu de monde dans les rues, néanmoins, c'est le cœur battant que j'arrivai chez Mélie. Samy le chien me fit fête, manquant, dans sa joie, de me faire tomber. Je montai jusqu'à la chambre de Mélie sans rencontrer personne. Je m'allongeai sur le lit, allumai une cigarette, prise dans un paquet de Lucky qui traînait là, et j'attendis.

Au milieu d'un bruit de voix aiguës de filles, je reconnus son rire. Ainsi, elle riait, elle pouvait encore rire. Cela me laissa songeuse. Elle monta, suivie de ses amies. Sa surprise fut telle en me voyant qu'elle resta un long moment sans réagir. Puis, poussant un cri, elle se jeta sur moi en me couvrant de baisers, sous les regards réprobateurs des autres qui s'en allèrent après quelques réflexions du genre :

« On voit bien que l'on est de trop. »

JE la regardais avec étonnement. Je me disais, voilà celle que j'aime, je suis dans ses bras, ses lèvres mordillent les miennes, nos langues, nos bras, nos jambes s'emmêlent. Une brusque chaleur m'envahit le corps, je me sens trembler contre elle. J'ai envie de sa bouche sur mon sexe. J'attire sa tête sur mon ventre, je gémis.

« Suce-moi. »

Elle obéit, docile, habile. Oh ! si habile que je suis rapidement submergée par un plaisir oublié !

Mélie rit de bonheur, rouge et décoiffée, le visage humide de mon plaisir. Elle s'allonge contre moi, m'entourant de ses bras en me murmurant des mots naïfs et tendres. Je ronronne de bien-être. Je n'ai plus peur.

Nous nous sommes assoupies sous le chaud bonheur des retrouvailles. A notre réveil nous convenons de nous revoir tous les soirs.

« Mais que va dire ta mère ?

— Ne t'inquiète pas, je m'arrangerai. »

Sept heures sonnent au clocher de Notre-Dame quand je quitte Mélie.

Je remonte vers la maison lentement, en passant par les petites rues. Maman est devant la porte, guettant mon arrivée, inquiète.

« Où étais-tu ?

— Chez Mélie. »

Elle n'a pas l'air étonné, plutôt soulagé. C'est davantage pour la forme qu'elle ajoute :

« Je t'avais défendu d'y aller. Tu as abusé de ma confiance. »

Je hausse les épaules. Quoi qu'elle dise, j'ai décidé de revoir Mélie et je la reverrai.

Elle a compris mon regard et, pour la forme encore, ajoute :

« Demain, tu n'iras pas te promener. »

Je me mets à table, souriante et détendue. Je parle de choses et d'autres, sous les regards étonnés de grand-mère et de Catherine qui répondent par monosyllabes. Cela m'est bien égal, je parle pour le plaisir d'entendre ma voix retrouvée et pour éviter les propos désabusés de maman et de grand-mère.

Après le dîner, je propose une partie de nain jaune à Catherine. Je gagne et je vais me coucher contente.

Je m'endors comme un caillou.

IL a plu toute la nuit. Il fait très sombre et très froid. Je ne me lève pas pour regarder passer Mélie, je reste bien au chaud dans mon lit, rêvant.

Deux mois se sont écoulés depuis la journée du cahier. Alain et ses parents ont quitté la ville, qui s'installe dans sa monotonie hivernale. Je commence seulement à pouvoir essayer de penser à autre chose qu'à l'histoire. J'essaie de me projeter dans l'avenir. Il faut que d'une manière ou d'une autre je reprenne mes études. Travailler, il n'en est pas question, je ne sais rien faire, et, de plus, on nous a élevées, Catherine et moi, pour être des épouses ; notre seul avenir, c'est le mariage. Je dois étudier pour pouvoir quitter au plus vite cette famille qui me supporte mal et cette ville qui me rejette. Je suis peu à peu submergée par mon impuissance. Que faire ? Où aller ? Je n'ai, bien sûr, pas du tout d'argent, même pas pour prendre le train jusqu'à Poitiers. L'angoisse de l'avenir me tord le cœur. Il faudra que j'en parle à Mélie. C'est bon signe. Je m'imagine, tour à tour, actrice de cinéma, grand reporter, espionne, explorateur, courtisane. En fait, je ne vois que ce dernier métier qui me soit accessible. Mon ignorance m'en masque l'horreur et mes souvenirs littéraires l'idéalisent. Je ne m'y attarde pas car ce serait trahir Mélie.

Tout l'après-midi, je reste sagement à lire devant mon feu de bois. Maman vient de temps en temps voir ce que je fais, étonnée par ma docilité.

Quatre heures et demie sonnent au clocher de Saint-Martial. Je vais doucement décrocher mon manteau dans l'entrée. Ouvrir la fenêtre et l'enjamber : me voilà dans la rue où je cours vers la maison de Mélie. Comme la veille, j'y arrive avant elle. Je rencontre sa mère, qui me parle gentiment, s'étonnant de ne pas m'avoir vue ces derniers temps. Elle a visiblement oublié ce qui s'est passé. Un sentiment de peine m'envahit : comment, ce qui est tellement important, tellement douloureux pour nous, peut-il être si totalement méconnu ou oublié, ne serait-ce que l'espace d'un instant, de ceux-là mêmes qui étaient concernés ? On est nié par l'indifférence des autres. C'est ce que j'apprends en ce moment. J'en veux à cette femme, sur-protégée et égoïste, de ne pas me manifester une tendre compassion, fût-elle de commande. C'est de mauvaise humeur que je monte attendre Mélie dans sa chambre. Son bonheur de me revoir efface un peu la désagréable impression.

Je me laisse déshabiller, embrasser, caresser. Mais je ne retrouve ni la joie ni le plaisir d'hier. Je fais en sorte que Mélie ne s'en rende pas compte.

Que de choses nous avons à nous dire... nous parlons, nous parlons. C'est le père de Mélie qui nous interrompt. Il a l'air heureux de me voir, s'inquiète de ma santé et de mon emploi du temps. Il secoue la tête tristement devant mes réponses.

« Rentre vite, il est bientôt huit heures. »

Là, je suis sûre de me faire gronder. J'embrasse précipitamment Mélie. Je descends l'escalier quatre à quatre. Il fait nuit noire et une pluie fine et glaciale me fait sur le visage comme des coups d'épingle.

Quand j'arrive, essoufflée, la famille est bien entendu à table.

« Excusez-moi, le père de Mélie m'a retenue. »

Ce n'est qu'un demi-mensonge. Devant l'absence de réaction, je continue comme on se jette à l'eau :

« Mélie va me donner ses cours et m'expliquer ce que je ne comprendrai pas. Son père est d'accord. » Toujours pas de réaction. Une aide inattendue me vient de la part de grand-mère :

« Ce n'est pas trop tôt que cette petite fasse quelque chose de sérieux. Ce n'est pas en restant toute la journée le nez dans ses livres ou à traîner à travers champs qu'elle s'instruira. »

Chère grand-mère, je l'embrasserais, bien qu'elle ait tort sur le fond. J'ai beaucoup plus appris par mes lectures désordonnées et en observant la nature que durant toutes mes années scolaires.

Maman, qui ne lui a jamais donné de réelles explications sur notre renvoi de l'institution Saint-M., ne peut qu'acquiescer.

Chacun va se coucher sans que rien de plus n'ait été dit sur ce sujet.

Ouf ! je m'en tire à bon compte !

Alors commence pour moi une période active. Mélie passe tous les jours à onze heures et demie m'apporter ses cours qu'elle m'explique, ou plutôt essaie de m'expliquer, car elle n'est pas très forte en français, ni en mathématiques, ce qui donne lieu à des fous rires devant les résultats incongrus auxquels nous arrivons. Le soir, je vais chez elle.

Cependant, très vite, nous nous décourageons. Elle, parce que je ne comprends pas ses explications, moi, parce que je prétends qu'elle-même n'a rien compris. Il m'arrive de la battre tant je suis furieuse et déçue. J'essaie bien de réfléchir seule sur tel ou tel problème d'algèbre ou de mathématiques, mais cela est trop dur pour moi. Je me contente de lire les livres d'histoire, de géographie, de sciences naturelles ou des grands auteurs classiques comme Racine, Corneille ou Molière. J'ai repris avec assiduité le chemin de la bibliothèque et je lis sans ordre Delly et Pascal, Max du Veuzit et Joseph de Maistre, Myonne et Voltaire, Henry Bordeaux et Rousseau. Comme on le voit, c'est pour le moins éclectique et si l'on ajoute à cela les hebdomadaires ou mensuels tels que : *Nous Deux, Historia, Mickey, Confidences* et *Spirou,* on aura une idée de la culture d'une fille de quinze ans livrée à elle-même.

Il fait de plus en plus froid, la nuit tombe très tôt. A cinq heures, il fait nuit. Je me suis enhardie jusqu'à passer maintenant par la grand-rue pour aller chez Mélie. Personne ne me parle. Les bonnes femmes, qui me connaissent, chuchotent sur mon passage. Je passe très droite, le regard lointain, essayant de paraître indifférente.

Nous nous disputons souvent Mélie et moi, pour des riens. En fait, je suis jalouse de la vie qu'elle mène. Pour elle, l'histoire a changé peu de chose : elle continue à aller au lycée, au cinéma, à voir des amis, ses parents l'entourent de leur affection. Face à tout ça, je me sens étrangement démunie et pauvre, si pauvre. Les jours s'écoulent de plus en plus lentement. Ni les livres ni Mélie n'arrivent à bout de mon ennui. Tout me semble fermé. La tentation de mourir revient, très forte.

Ce sont les vacances de Noël. D'habitude, cette période qui précède les fêtes est pour moi l'occasion d'une grande activité. Je prépare des cadeaux pour chacun et, comme je n'ai pas d'argent, ce sont des cadeaux entièrement confectionnés par moi : gants, chaussettes, bonnets, écharpes, tricotés avec de la laine récupérée, ou de petites tapisseries avec des vœux de Joyeux Noël, des poupées en chiffons et leur petit trousseau, des dessins, bref ! de ces petites choses qu'une fille habile de ses mains peut offrir. Cette année, je n'ai pratiquement rien fait, si ce n'est un pull en grosse laine que m'avait demandé Mélie, des gants pour maman et grand-mère, c'est tout.

Le soir de Noël, mon impression de solitude se fait plus grande. J'ai refusé d'accompagner la famille qui dîne chez une tante, avant d'aller à la messe de minuit. Je n'ai pas le courage de les affronter réunis. Je suis seule devant un joli plateau préparé par maman, foie gras, morceau de dinde aux marrons et petite bûche pour moi toute seule. Je me suis installée dans la salle à manger, le feu ronronne doucement, à la radio, il y a des chants de Noël. Comme tous les ans, c'est moi qui ai décoré l'arbre de Noël et monté la crèche. La dernière guirlande attachée, je regarde mon œuvre. Il est très joli mon sapin, il se reflète dans la glace qui me renvoie également mon image. Je regarde avec curiosité cette fille que je ne reconnais pas. Il me semble que j'ai grandi, mon visage s'est affiné, je n'ai presque plus les joues rondes de mon enfance, mes yeux sont cernés, mais, ce qui me surprend le plus, c'est mon regard : comme glacé, comme revenu de tout, aucun espoir ne s'y fait jour, pas la plus petite lueur, vieux, mort.

Mes cheveux roux, brillants et frisés, sont la seule masse vivante, comme n'appartenant pas à ce visage, à ces yeux-là. Un chaos de pensées se bousculent dans ma tête, un mot surgit qui devient cri : « NON ! » Et je m'écroule en hurlant ce mot :

« NON ! »

DURANT ces vacances, nous nous voyons tous les jours, Mélie et moi. Ses parents nous emmènent à Tours, Poitiers et Limoges. Maman m'a donné un peu d'argent pour ces sorties, ce qui me permet d'acheter des babioles. Mélie me couvre de menus cadeaux, de friandises. J'aime bien ces journées hors du temps.

Comme tous les ans à pareille époque, il y a une fête foraine sur la place du marché. Cette année, je n'y suis pas encore allée de peur de rencontrer Jean-Claude et ses copains. Mais aujourd'hui, j'ai envie de me mêler à la foule, de faire comme avant. Je descends la grand-rue vers quatre heures de l'après-midi, le temps est froid et humide, les lumières des vitrines sont déjà allumées. Il y a peu de monde à cette heure à la fête. Je m'achète une barbe à papa, je regarde les autos tamponneuses, les tirs, les loteries, les manèges pour enfants qui me rappellent mes trépignements quand je ne voulais pas en descendre, criant :

« Encore un tour ! encore un tour ! »

La roulotte et la diseuse de bonne aventure, une petite ménagerie, des balançoires, cela a suffi à remplir la place.

J'ai froid et rien de tout cela n'est très drôle, je décide d'aller chez Mélie. C'est au carrefour, devant le marchand de tissus, que je suis arrêtée par une main brutale. C'est Mme R... qui m'agrippe ainsi et qui se met à me secouer :

« Tu n'as pas honte de te montrer, petite roulure ? On ne peut plus se promener sans rencontrer des catins de son espèce », dit-elle, en prenant à partie les trois ou quatre bonnes femmes qui se sont arrêtées pour regarder.

« Quand on pense, une fille de bonne famille, tourner comme ça, dit Mme V...

— On devrait les enfermer des saletés pareilles, ajoute Mme B...

— Tiens, salope ! »

Je ne vois pas d'où vient le coup, mais la gifle que je reçois est de Mme R... Quant à Mme L..., elle s'en prend à mes cheveux. J'essaie comme je peux de parer les coups,

214

elles sont maintenant cinq ou six après moi. Un attroupement grandissant se fait autour de notre groupe, des gamins ricanent et tentent de me donner des coups de pied :

« Tigresse, oh ! tigresse ! »

La manche de mon manteau neuf se déchire, je me mets à saigner du nez, cela doit les exciter car elles me bousculent de plus belle. Personne n'intervient. Une peur hideuse m'envahit, je revois les filles tondues de la Libération, mon père et sa mitraillette, les rires sales et les figures de haine hurlant des injures aux pauvres filles.

« NON ! NON ! laissez-moi ! »

Il y a là des jeunes, des vieux, des hommes et des femmes ordinaires, qui ne feraient pas de mal à la plus petite bestiole, qui regardent sans émotion apparente cette scène cruelle. Jean-Claude, blême, n'ose pas intervenir. Francis, Michel, Bernard, les copains de l'été, regardent sans bouger. J'aperçois une de mes tantes qui préfère changer de trottoir. Personne ne me viendra donc en aide ? Je suis tombée le long de la vitrine, me protégeant la tête de mes mains.

« Cela suffit, laissez-la, arrêtez ! C'est monstrueux ! »

Une main ferme me relève et écarte les mégères.

« Vous seriez bien avancées si les parents de la petite allaient porter plainte pour coups et blessures ! »

Cela calme les furies plus sûrement que des paroles de pitié et elles se dispersent sans demander leur reste.

L'homme m'essuie le visage avec son mouchoir. Il a de grands yeux bruns, doux et tristes. Je le connais de vue. Il n'habite pas ici mais vient de temps en temps voir ses parents qui tiennent un petit commerce de vélos dans la grand-rue. Une immense reconnaissance m'envahit, c'est la première et ce sera la seule personne à avoir envers moi un geste de compassion. Il me prend par l'épaule.

« Tu devrais rentrer chez toi, petite. Les rues ne sont pas bonnes pour toi. »

Je voudrais le remercier, mais je ne peux prononcer une parole, je le regarde intensément, essayant de faire passer dans mon regard ce que je ressens. Il semble comprendre, un bon sourire éclaire son visage.

« Courage ! le temps passe et l'on oublie. »

Je secoue la tête. Non, je n'oublierai pas, ni cet unique geste d'amitié, ni ces coups, ni ces humiliations, ni ces larmes. Je le regarde s'éloigner. J'essuie mes yeux, je me mouche et je vais chez Mélie pour essayer de mettre de l'ordre dans ma tenue avant de rentrer à la maison.

Elle ne dit pas un mot en me voyant, elle m'aide à me déshabiller, me fait couler un bain, me lave le visage qu'elle embrasse à petits coups. Pendant que l'eau calme mon corps douloureux, elle a porté mon manteau à sa sœur pour que celle-ci recouse la manche. Elle m'enveloppe d'un long peignoir à la sortie du bain et me fait boire une tasse de thé brûlant. Elle me prend dans ses bras et alors, alors seulement, elle me dit :

« Raconte ! »

Alors, à voix basse, entrecoupée de sanglots, je lui explique la scène de tout à l'heure, je sens ses larmes chaudes couler le long de mon cou. Je me tais, elle ne dit rien. Que pouvons-nous ajouter, d'ailleurs ? Je suis au centre d'événements qui nous dépassent. Il n'y a rien à comprendre. Nous sommes le jouet de circonstances, les autres aussi. Ce qui les révolte aujourd'hui pourra leur être indifférent demain. Nous sommes arrivées à un mauvais moment, voilà tout.

Je remonte à la maison, comme apaisée. En chemin, je rencontre maman venue au-devant de moi. Elle est au courant de ce qui s'est passé. Je la devine à la fois hostile et tendre. J'ai envie de me jeter dans ses bras, mais, devant son attitude, je ne comprends pas, je n'ose pas. Nous marchons côte à côte sans rien nous dire.

Le repas est silencieux. A la fin du dîner, maman sort une lettre de sa poche. Aux timbres et à l'enveloppe, je vois que la lettre est de papa. Elle nous la lit.

Si j'ai bien compris, dans trois mois, quatre au plus tard, nous serons à Conakry. Je m'endors en rêvant de palmiers, de gens noirs et gentils.

DEPUIS la scène de l'autre jour, je ne suis pas retournée chez Mélie. C'est elle qui, ne me voyant pas, est venue voir ce qui se passait. Je lui dis que je préfère que ce soit elle qui vienne, du moins pendant un certain temps. Durant un mois, elle est venue tous les jours passer deux heures avec moi. Nous jouons aux cartes, ou lisons chacune de notre côté. Nous avons abandonné le travail en commun, cela évite de nous disputer. Nous parlons de mon prochain départ qui se précise. Elle me dit que c'est préférable pour moi et qu'un an c'est vite passé. Sans doute a-t-elle raison, mais ce n'est pas sans angoisse ni serrement de cœur, que je pense à cette longue absence. M'aimera-t-elle encore quand je reviendrai ?

J'ai repris, malgré le temps froid, mes longues promenades dans la campagne et mes randonnées à vélo. Peu à peu, les jours s'allongent. Le printemps s'annonce précoce. N'ai-je pas cueilli mes premières violettes ? Je retourne à nouveau chez Mélie. C'est vrai que sa maison est plus agréable que la mienne et ses parents plus accueillants que les miens. De temps à autre, je croise, dans les rues, d'anciennes camarades de classe. Toutes, sans exception, détournent la tête en me voyant. Leurs parents ont bien fait les choses. Il en est de même quand je rencontre une des sœurs de l'institution Saint-M. ; elles, ce sont les yeux qu'elles baissent, par pudeur, sans doute, comme devant un spectacle honteux. Ce que je représente est-il si moche que ça ? Je n'arrive toujours pas à le croire. Les vacances de Pâques ramènent Jeanine, qui a l'air maintenant d'une vraie femme. Elle a rapporté des tas de nouveaux disques de Paris. Nous ne nous lassons pas de les écouter. Francis, Michel, Bernard et même Yves viennent passer un moment avec nous. Personne ne parle de l'histoire. Au début, ils me regardaient tous avec une certaine méfiance, craignant, qui sait ? des reproches, des plaintes. Ils n'ont eu ni les uns et les autres qu'un silence un peu dédaigneux, c'est tout.

Malgré mes efforts, je n'arrive plus à m'intéresser à ce qui fait en général la vie des adolescents. Quelque chose s'est comme arrêté en moi ou cassé. Seul le temps me le dira. J'assiste, indifférente, aux préparatifs de maman qui nous fait confectionner à Catherine et à moi des robes pour pays chauds. C'est tout juste si nous échappons au casque colonial.

Notre départ est retardé, ce qui fait que j'ai la joie et la douleur d'aller chercher Mélie à sa descente du train qui la ramène de Poitiers où elle a été passer son brevet en compagnie de sa classe. Sur le quai de la gare, il y a les élèves de l'école laïque et celles de l'école libre. Les professeurs des deux camps se sont salués d'un signe de tête bref ; quant aux élèves, elles ricanent en se regardant sournoisement. Mon arrivée provoque un immédiat silence. Les religieuses, en me lançant des regards effarés, emmènent leurs blanches brebis aussi loin qu'elles peuvent, les laïques me toisent, comme outrées de tant d'audace. Je m'avance sur le quai, vers Mélie, qui n'a pas l'air très fier. Je la prends par la main et l'entraîne vers la sortie. Ma venue ne lui fait aucun plaisir, elle me le dit sans ménagement.

« Comme si on n'avait pas suffisamment d'ennuis comme ça ! »

Je souris en haussant les épaules. Je suis assez contente de moi. Car, pour cette petite provocation, il m'a fallu du courage. Je voulais la confirmation de la rupture entre les gens de mon âge et moi. C'est fait. Je vais devoir finir de grandir sans eux.